Hans J. Vermeer − Aryendra Sharma

Hindi-Lesebuch

Julius Groos Verlag Heidelberg
1966

© 1966 Julius Groos Verlag Heidelberg
Herstellung: Julius Beltz, Weinheim/Bergstr.

VORWORT

Der Mangel an lebendigem, modernen und zugleich grammatisch und idiomatisch korrektem Lesematerial ist auch für die großen süd-asiatischen Sprachen noch sehr empfindlich. In dem vorliegenden Heft werden einige Probelektionen geboten, bei deren Zusammenstellung folgende Gedanken maßgebend waren:

Das Material ist für Anfänger gedacht. Vertrautheit mit der Lautlehre der Hindi und mit der Devnāgarī-Schrift werden vorausgesetzt. - Beides kann u. U. erlernt werden aus

VERMEER, Hans J. + SHARMA, Aryendra: Hindī-Lautlehre mit Einführung in die Devnāgarī-Schrift; Heidelberg 1966.

Die mit den Lesestücken gebotenen Beispiele für Formenlehre und Satzbau der Hindi schreiten vom Einfachen zum Schwierigeren fort. Dabei war in erster Linie an deutschsprachige Studierende gedacht. Erprobt wurden die Lektionen im akademischen Sprachunterricht. Die grammatischen Erklärungen selbst sind aus Raumgründen knapp gehalten. Es wird immer wieder verwiesen auf

SHARMA, Aryendra + VERMEER, Hans J.: Einführung in die Grammatik der modernen Hindī; Heidelberg 1963.

Für die Lesestücke selbst gilt die Forderung, daß sie lebendige gesprochene, aber korrekte Umgangssprache spiegeln müssen. Jeder Text ist einer zusammenhängenden Situation entnommen; dadurch prägt er sich besser ein, wird leichter verständlich, sobald man sich zugleich die entsprechende Situation vergegenwärtigt und zeigt die Bedeutung der Wörter und Sätze klarer und unmißverständlicher als Einzelsätze dies tun können. Letztere bieten die mehrfacher Schwierigkeit der Zusammenhanglosigkeit, Mehrdeutigkeit und der Zumutung, daß der Lernende von Satz zu Satz in eine jeweils gänzlich andere Situation geworfen wird. Dadurch erhöht sich die Anstrengung des Lernens und Behaltens unnötig. Der zusammenhängende Text aber kann auswendiggelernt und durch"gespielt" werden. Die in den ersten zehn Lektionen gewählte Form des Dialogs gibt die Möglichkeit, das Gelernte wörtlich oder mit geringen Abwandlungen "in situ" anzuwenden. Die Situationen selbst entstanden aus der Überlegung heraus, was sich dem Ausländer in Indien präsentieren werde und in welcher Reihenfolge - soweit hierüber überhaupt Vermutungen angestellt werden können. Dabei ist es wenig sinnvoll, _alle_ möglichen

Situationen zu berücksichtigen: Beim Zoll z. B. wird man sich erst auf Hindi zu verständigen versuchen, wenn man die Kenntnisse dieses Buches längst hinter sich gelassen hat; also scheidet ein Gespräch mit dem Zöllner schon aus diesem Grunde aus. - Die Anlage der Lesestücke führt zugleich zu einer ersten Orientierungsmöglichkeit über den Grundwortschatz, über den ein Ausländer im hindisprachigen Gebiet verfügen muß. Dieser Grundwortschatz ist mit einem - sowieso noch nicht bestehenden - Häufigkeitswörterbuch im Sinne entsprechender Werke für europäische Sprachen nicht zu erfassen; denn der Ausländer kommt in andere Situationen als der Einheimische, wird - wie schon aus dem ersten Stück ersichtlich - anders behandelt und angeredet als dieser und muß sich dementsprechend auch anders ausdrücken. Während etwa für ihn Frage und Antwort an der Hotelreception zu den "normalen" Situationen gehören, ist dies für den Einheimischen durchaus ein "Ausnahmezustand".

Um die Lektionen möglichst gut auszuwerten, kann man sie wiederholt lesen, grammatisch durcharbeiten, übersetzen und rückübersetzen. Den Stoff einer Lektion beherrschen heißt: die Einzelsätze fließend aufsagen können, die Lektion, wie oben gesagt, sozusagen "durchspielen" können; die grammatischen Erscheinungen verstehen und mit ihrer Hilfe und mit dem gelernten Wort- und Satzinventar ähnliche Situationen selbstaufbauen können. Beim Übersetzen hüte man sich vor der "wörtlichen" Übersetzung, die angeblich das grammatische Verständnis offenbaren soll. Übersetzen soll man nur in idiomatisches, situationsgerechtes Deutsch. Man frage nicht "Was heißt dieser Ausdruck?", sondern "Wie sagt man in dieser Situation ganz spontan und natürlich auf Deutsch?" Nur so kommt man zum Verständnis der fremden Idiomatik und lernt sie richtig anwenden. Zur Anleitung sind den ersten Lektionen Übersetzungsbeispiele mitgegeben.

Das Fehlen eines zweisprachigen Wörterbuches Hindi-Deutsch und überhaupt eines guten zweisprachigen Wörterbuches für Hindi macht es notwendig, die vorkommenden Vokabeln im Buch selbst aufzuführen. Die angegebenen Bedeutungen beziehen sich dabei auf die gerade relevante Situation. Immerhin kann mit Vorsicht auch gebraucht werden:

    PATHAK, R. C.: Bhargava's Standard Illustrated Dictionary of the Hindi Language (Hindi-English Edition); Banaras.

Zu empfehlen ist

BĀHRĪ, Hardev: Brhat angrezī-hindī koś. Comprehensive English-Hindi Dictionary; Vārānasī /Banaras/ 1960.

Später sollte man anschaffen:

Pāribhāsik śabd-sangrah (angrezī-hindī). A Consolidated Glossary of Technical Terms (English-Hindi); Delhi 1962.

Wer nach dem Studium dieses Buches die Lektüre moderner Texte fortsetzen möchte, läuft bei einer so wenig konsolidierten Sprache, wie Hindi dies heute noch ist, natürlich leicht Gefahr, an wenig korrektes Material zu geraten. Trotzdem sollte man da nicht zu ängstlich sein. Kurze Abschnitte - z. B. auch aus der Hindi-Ausgabe des Readers Digest - lassen das Interesse nicht erlahmen; an längeren Stücken empfehlen sich der inhaltlichen Spannung wegen zur Erweiterung von Fremdsprachenkenntnissen immer wieder Kriminalromane. Man greife bei Hindi im Anfang nicht zu eilig zu Zeitungen! Gut - aber schwer! - ist im allgemeinen die Zeitschrift DHARMAYUG. Über moderne schöngeistige Literatur orientieren einschlägige Literaturgeschichten, die es vor allem in englischer Sprache gibt.

Und noch eines: Am besten lernt man die praktische Sprachbeherrschung im häufigen Gespräch mit gebildeten einheimischen Sprechern, im vorliegenden Falle Hindisprachigen etwa aus der Gegend zwischen Agra - Delhi - Lucknow.

Anm.: Entgegen der Gepflogenheit der wissenschaftlichen Transkription wird im vorliegenden Buche nicht 'ai' sondern 'ä' und nicht 'au' sondern 'ǫ' geschrieben, um zwei der verbreitetsten Aussprachefehler für Hindi zu vermeiden.

INHALTSVERZEICHNIS

Vorwort I
Inhaltsverzeichnis IV

1. LEKTION: Der Gepäckträger (mit Umschrift und Übersetzung). - Grammatik: Postpositionen - Wortstellung - Demonstrativpronomina - Imperativ - Verbalkomposita 2

2. LEKTION: Im Taxi (mit Umschrift und Übersetzung). - Grammatik: mē - valā - Konjunktiv - Futur - Relativpronomen - hī - Deklination - Adjektiv - Fragepartikel - Bedingungssatz - Infinitiv als Imperativ - Verbalkomposita 1o

3. LEKTION: Im Hotel (mit Umschrift und Übersetzung). - Grammatik: kā - koī - 'haben' - ko - cāhie - Konjunktiv und Futur von 'honā' - zusammengerückte Postpositionen - Verbalkomposita mit 'denā' und 'lenā' - Personalpronomina 2o

4. LEKTION: Bitte um Auskunft - Im Hotel (mit Übersetzung). - Grammatik: Gerundiv - Indikativ Praesentis - 'saknā' - Praesens pro futuro - Adverb und adverbielle Bestimmung - Echowörter - 'milnā' - Possessivpronomina - 'valā' für Futur - Honorifica 26

5. LEKTION: Auf der Bank (mit Übersetzung). - Grammatik: Postpositionen - Deklination der Demonstrativa - Zahlwörter - Participium Praeteriti - Praeteritum - Praeteritum pro futuro - Imperativ 34

6. LEKTION: Auf dem Postamt. - Grammatik: sā - huā - Verbaladverb - Verbalkomposita 38

7. LEKTION: Im Laden. - Grammatik: Aktualisierung durch 'rahā' - Habituelle Tempozalformen - Verbtypen (Wortbildung) - Verben der Bewegung - sā - Relativadjektiva - Pronominalformen - Verba passivischen Inhalts - Passiv - Partikeln - Verbalkomposita 42

8. LEKTION: Unterhaltung. - Grammatik: Praeteritalformen - Ergativ - Verbalkomposita 5o

9. LEKTION: Unterhaltung (Fortsetzung). - Grammatik: Wortstellung - na : nahī - indirekte Rede - 'um zu' - Objekt bei Verbalkomposita 56

1o. LEKTION: Bitte um Auskunft. - Grammatik: Denominative Verben - Reflexivum   60

11. LEKTION: Die Landschaften Indiens (Essay). -
    Grammatik: Wortbildung - Doppelpostpositionen -
    Komparation   64

12. LEKTION: Flora und Fauna (Brief)   66

13. LEKTION: Essen und Trinken (Bericht)   68

14. LEKTION: Indische Feste (Brief)   70

Wörterverzeichnis   72

Verzeichnis der Abkürzungen   89

LESESTÜCKE

1. LEKTION

Der Gepäckträger

[एयरपोर्ट पर]

पोर्टर - सलाम, साहब।

मुसाफ़िर - सलाम।

पो० - यह सामान आप का है?

मु० - हाँ, एक यह सूटकेस और एक यह। टैक्सी पर ले चलो।

पो० - बहुत अच्छा। चलिए।

......

पोर्टर [टैक्सी ड्राइवर से] - यह साहब का सामान है।

     [मुसाफ़िर से] - बैठिए साहब।

मुसाफ़िर [पोर्टर से] - कितने पैसे हुए?

पो० - एक रुपया।

मु० - अच्छा, यह लो एक रुपया।

पो० - सलाम, साहब।

मु० - सलाम।

Umschrift:

(eyarpoṛt par)
portar - salām, sāhab!
musāfir - salām!
po.   - yah sāmān āp kā hä?
mu.   - hā̃, ek yah sūtkes or ek yah.
         täksi par le calo!
po.   - bahut acchā! calie!
. . . . . o
portar (täksī drāivar se) - yah sāhab kā sāmān hä.
       (musāfir se)   - bäthie sāhab!
musāfir (portar se)   - kitne päse hue?
po.   - ek rupayā.
mu.   - acchā, yah lo ek rupayā!
po.   - salām, sāhab!
mu.   - salām!

Freie Übertragung:

(Auf dem Flughafen)
Gepäckträger: Guten Tag!
Reisender: Guten Tag!
G.:   Ist dies Ihr Gepäck?
R.:   Ja, dieser Koffer hier und der daneben.
              Bringen Sie sie zu einem Taxi!
G.:   Sehr wohl! Kommen Sie bitte!
. . . . .
G. (zum Taxifahrer):   Dieses Gepäck gehört dem Herrn.
   (zum Reisenden):   Bitte, steigen Sie ein!
R. (zum Gepäckträger): Wieviel macht es?
G.:   Eine Rupie.
R.:   Bitte sehr!
G.:   Dankeschön, auf Wiedersehen!
R.:   Auf Wiedersehen!

Vokabular:

अच्छा	acchā	adj.	gut
आप	āp	pron.pers.	(etwa) Sie
एक	ek		1) eins
			2) (etwa) unbest.Art.
एयरपोर्ट	eyarporṭ	subst.m.	(< engl. 'airport') Flughafen
और	ǫr		und
का	kā	postp.	(etwa) von
कितना	kitnā		wieviel?
चलना	calnā		(los)gehen
टैक्सी	ṭäksī	subst.f.	(< engl. 'taxi') Taxi
ड्राइवर	ḍrāivar	subst.m.	(< engl. 'driver') Fahrer
पर	par	postp.	(etwa) auf
पैसा	päsā	subst.m.	1) Geld
			2) (etwa) Pfennig
पोर्टर	porṭar	subst.m.	(< engl. 'porter') Gepäckträger
बहुत	bahut	adj.	1) viel
			2) (adv.) sehr
बैठना	bäṭhnā		sich setzen
मुसाफ़िर	musāfir	subst.m.	Reisender (zu 'safar' = Reise; vgl. Safari)
यह	yah /ʏæ_/	pron.dem.	(etwa) dies
रुपया	rupayā /rupɪa·_/!	subst.m.	Rupie (1 Rp. = o,83 DM)
लेना	lenā		(weg)bringen, tragen
सलाम	salām	subst.m.	1) Guten Tag (usw.)
			2) Dankeschön
सामान	sāmān	subst.m.	1) Gepäck
			2) Waren, Einkäufe
साहब	sāhab	subst.m.	Herr (dem Namen nachgestellt: śarmā sāhab)

सूटकेस	sūtkes	subst.m.	(< engl. 'suitcase') Koffer
से	se	postp.	(etwa) von - weg, mit, zu
हाँ	hā̃		Partikel der Zustimmung: (etwa) ja, das ist richtig
हुआ	huā	part.praet.	zu 'honā' = sein: gewesen
है	hä		3.P.Sg.Ind. zu 'honā' = sein: er,sie,es ist

Erläuterungen:

1) eyarport < engl. 'airport': Viele moderne Ausdrücke, auch des täglichen Lebens, sind als Fremdwörter aus dem Englischen in die Hindī gekommen. Vgl.: porṭar < engl. 'portar'; ṭäksī < engl. 'taxi'; drāivar < engl. 'driver'; sūtkes < engl. 'suitcase'. Die Aussprache europäischer - also auch nicht-englischer - Wörter in der Hindī folgt zumeist dem Englischen mit einigen charakteristischen phonetischen Abweichungen[1]).

2) eyarport par = (Flughafen auf =) auf dem Flughafen: Die Hindī kennt im allgemeinen keinen Artikel wie das Deutsche und Englische. Es gibt nur in bestimmten Fällen einen Artikelersatz durch Formen des Demonstrativpronomens, Indefinitpronomens oder Zahlwortes.

3) Satzbeziehungen zwischen Wörtern und Wortgruppen werden formal durch Wortstellung, Flexion und "Postpositionen" ausgedrückt. Letzteres sind Funktionspartikeln, die dem zugehörigen Nomen nachgesetzt (lat. 'post-poněre') werden. Das Deutsche verwendet in gleichem Sinne Präpositionen, hat aber auch einige Postpositionen (Vgl. 'dem Vernehmen nach', 'meinetwegen'). Die Funktionen einer

---

Anmerkungen am Ende der Lektion

Postposition können sehr verschiedenartig sein; ihr Gebrauch ist zunächst als idiomatisch hinzunehmen. Vgl.: āp ('Sie') : āp kā (von Ihnen = Ihr); drāivar se (zum Taxifahrer) - Bei Verben des Sagens wird die Person,'zu' der man spricht usw., mit 'se' eingeführt ('se' in soziativer Funktion HG 9.3.3.3.[2]); yah sāmān āp kā hä? (dieses Gepäck von Ihnen ist = Gehört dieses Gepäck Ihnen?) - Der Satz wäre zu erklären als 'yah sāmān āp kā sāmān hä?' (dieses Gepäck ist Ihr Gepäck?). Der Aussagesatz 'yah sāmān āp kā hä' (dieses Gepäck gehört Ihnen) unterscheidet sich - wie im Deutschen - nur durch die Intonation vom Fragesatz ('Dieses Gepäck gehört Ihnen?').

4) Als allgemeine Wortstellungsregel gilt die Endstellung des Prädikats. In der gesprochenen (Umgangs-)Sprache gibt es jedoch Ausnahmen.

5) salām = ('Friede' =) Guten Tag!: Dieser Gruß wird von sozial Niedrigerstehenden Höherstehenden gegenüber häufig gebraucht. Er ist eine Kürzung aus 'salām aleikum' (arab. as-salāmu aleikumu) = Friede sei mit dir! (Vgl. pax tecum). Beim Abschied entspricht er dt. 'Auf Wiedersehen'. Doch hat er, von Dienern nach der Entlohnung gesagt, mehr die Bedeutung von 'Dankeschön'. Am Ende des vorliegenden Textes ist der Reisende also nicht verpflichtet, ebenfalls mit 'salām' zu antworten. Eine solche Antwort ist eine (empfehlenswerte) Höflichkeitsgeste. - Dt. 'bitte' und 'danke' entsprechende Ausdrücke werden in der Hindī selten verwendet. Man gebraucht Flexionsformen der Höflichkeit (beim Imperativ z. B.), Höflichkeitsgesten usw. (wie das Erheben des Empfangenen an die Stirn).

6) sāhab = Herr: Diese Anrede (ohne Nennung des Namens)

wird von sozial Niedrigerstehenden gegenüber Höherstehenden gebraucht.

7) ek yah sutkes or ek yah = ein dieser Koffer und ein dieser =) Dieser Koffer hier und der daneben: 'yah' /i̇x_7 ist Demonstrativpronomen für den Hinweis auf etwas in der Nähe des Sprechers Befindliches (dt. dieser, der hier).

8) Bei den Demonstrativpronomina gibt es keine Genusunterscheidung. An sich kennt die Hindī zwei Genera: 'masculinum' und 'femininum'.

9) täksī par le calo = (Taxi auf nehm/end/ geht =) Bringen Sie sie zu einem Taxi!: Man merke die idiomatische Verwendung von 'par' (gewöhnlich 'auf'). - Das Objekt (dt. 'sie') wird formal nicht ausgedrückt, da es aus der Situation (dem Kontext) eindeutig bestimmt wird.

10) 'le' ist der S t a m m eines Verbs. Im Wörterbuch werden Verben in der Form des Infinitivs aufgeführt. Dieser wird aus dem Stamm durch Anfügen der Endung '-nā' gebildet: calnā (geh-en^3), lenā (nehm-en). Nur wenige Verben der Hindī sind unregelmäßig, z. B. heißt der Infinitiv zu 'hä' (ist): 'honā' (sein).

11) calo = geht!: '-o' ist die Endung für die 2. Person Pluralis des Imperativs: Stamm = cal-, Infinitiv = calnā, 2.P.Pl.Imper. = calo. Diese Imperativform wird guten Bekannten gleichen sozialen Rangs und sozial Niedrigerstehenden, also Dienern usw., gegenüber gebraucht - auch Einzelpersonen gegenüber! (Der Imperativ hat also nicht unbedingt pluralische Funktion!) Fremden und sozial Höherstehenden gegenüber gebraucht man eine Höflichkeitsform des Imperativs auf '-ie': bāṭhie (setzen Sie sich bitte!), zum Inf. 'bāṭhnā' (sich setzen): Stamm = bāṭh-,

2.P.Pl.Imper. = bātho; calie = gehen Sie bitte! - Zur
Bildung des Imperativs vgl. HG 13.11.1.1., zum Gebrauch
der Formen HG 12.1.2., zum negierten Imperativ (Verbot)
HG 13.11.1.3. - Übrigens, 'lenā' ist in manchen Formen
unregelmäßig: 2.P.Pl.Imper. = lo (vgl. 'yah lo ek rupa-
ya'), Höflichkeitsimperativ = līdjie (nehmen Sie bitte!).

12) 'le calo' ist ein Verbalkompositum. Die Hindī ist
sehr reich an verbalen Zusammensetzungen und Zusammen-
rückungen. Sie erlauben eine exakte, minutiöse Darstellung des Sachverhalts. Überhaupt ist die Wiedergabe eines
Teils der Redesituation in der Rede selbst (in höherem
Maße als im Deutschen) charakteristisch für die Hindī,
während das Dt. häufig - nach Ansicht der Inder - zu Ge-
dankensprüngen neigen soll... Andererseits werden gerade
Subjekt und Objekt als aus der Situation eindeutig her-
vorgehend in der Hindī oft formal nicht ausgedrückt (s.
oben 9). Sprechsituation und Rede bilden ein einheitli-
ches Ganzes, aus dem in jeder Sprache das jeweils notwendig Erscheinende ausgewählt und ausgedrückt wird. Der
Rest bleibt der 'Kombinationsgabe' des Hörers überlassen.

13) Indische Verbalkomposita sind häufig durch dt. adverbielle Bestimmungen aufzulösen. Die Hindī ist arm an Adverbien: tāksī par le calo = Bringen Sie (die Koffer) zu
einem Taxi!; Gehen Sie damit zu einem Taxi!

14) bahut acchā, calie = sehr gut, (gehen Sie =) kommen
Sie!: Wenn Reisender und Gepäckträger zusammen (z. B. vom
Zoll am Flughafen) zum Taxistand gehen, so kann die Aufforderung des Gepäckträgers an den Reisenden, sich in Bewegung zu setzen, lauten: (indisch) 'Gehen Sie los!' oder
(deutsch) 'Kommen Sie mit!' - Ähnlich ist es bei der Aufforderung des Trägers an den Reisenden, das Taxi zu be-

steigen: bāthie = Setzen Sie sich bitte (nämlich ins Taxi)! Im Dt. würde man <u>hier</u> sagen: Steigen Sie bitte ein! ... Wenn man überhaupt eine solche Aufforderung seitens des Gepäckträgers (!) zu erwarten hat. Die Situation in Indien und in Deutschland mag die gleiche sein, die Reaktionen der Sprecher darauf können verschieden sein!

15) kitne pāse hue? = (Wie viele Paisa gewesene /= waren es7 =) Wieviel macht es?: Man merke sich den idiomatischen Ausdruck und vielleicht dazu, daß 'unpersönliche' Ausdrucksweisen, d.h. solche, in denen nicht eine bestimmte Person als Agens (Handelnder, Täter) auftritt, in der Hindī häufig sind. - 'pāsā' (Sg. zum Plural 'pāse') ist die kleinste indische Münzeinheit: 1 rupayā /rupɪa·7(!) (Rupie) = 1oo pāsā. - 'hue' ist masc. plur. zu 'huā', dem Participium Praeteriti von 'honā' (sein).

16) yah lo ek rupayā = (dieses nehmt, eine Rupie =) Da, eine Rupie: 'yah lo' ist eine Art Ausruf, um die Aufmerksamkeit zu erregen. Vgl.: yah **dekho** (zu 'dekhnā' = sehen) usw.

A n m e r k u n g e n :

1) Vgl.u.a. VERMEER, Mira H. + Hans J.: Das "Indo-Englische"; in: Lebende Sprachen 8, 1963, 135-138 und 8, 1963, 184 und die dort angegebene Literatur

2) Die mit 'HG' gekennzeichneten Verweise beziehen sich auf SHARMA, A. + VERMEER, H. J.: Einführung in die Grammatik der modernen Hindī (Studienausgabe); Heidelberg 1964

3) 'gehen' ist nur eine ungefähre Übersetzung. 'calnā' impliziert 'sich in Bewegung setzen' (ingressive Aktionsart); außerdem oft 'Sprecher kommt mit oder gleich nach'

2. LEKTION

Im Taxi

[*टैक्सी में*]

टैक्सी वाला — कहाँ जाएँगे, साहब?
मुसाफ़िर — इम्पीरियल होटल।
टै॰ — वह इम्पीरियल होटल जो अशोक रोड पर है?
मु॰ — हाँ, वही।
यहाँ से कितनी दूर है?
टै॰ — कोई दस किलोमीटर।
मु॰ — अच्छा, बहुत दूर तो नहीं है।
कितनी देर लगेगी?
टै॰ — कोई आधा घंटा।
मु॰ — ठीक है।

. . . . .

टै॰ — साहब, आप कितने दिन यहाँ रहेंगे?
मु॰ — अभी ठीक तो नहीं मालूम, मैं शायद चार-पाँच दिन रहूँगा।
टै॰ — क्या आप आज शाम को शहर की सैर करेंगे? आप कहें तो मैं शाम को फिर टैक्सी ले आऊँ।
मु॰ — अच्छा, तुम चार बजे आ जाना।

Umschrift:

(tăksĭ mẽ)
tăksĭ vālā - kahā̃ jāẽge, sāhab?
musāfir   - impĭriyal hoṭal!
ṭă.   - vah impĭriyal hoṭal jo aśok roḍ par hă?
mu.   - hā̃, vahĭ!
              yahā̃ se kitnĭ dūr hă?
ṭă.   - koĭ das kilomĭtar.
mu.   - acchā, bahut dŭr to nahĭ hă.
              kitnĭ der lagegĭ?
ṭă.   - koĭ ādhā ghanṭā.
mu.   - thĭk hă.
. . . . .
ṭă.   - sāhab, āp kitne din yahā̃ rahẽge?
mu.   - abhĭ thĭk to nahĭ mālūm, mā̃ śāyad cār-pā̃c
              din rahū̃gā.
ṭă.   - kyā āp āj śām ko śahar kĭ sär karẽge? āp
              kahẽ to mā̃ śām ko p̃hir tăksĭ le āū̃.
mu.   - acchā, tum cār baje ā jānā!

Freie Übertragung:

(Im Taxi)

Taxifahrer: Wohin (möchten Sie fahren), bitte?
Reisender: Zum Hotel Imperial!
T.:   Das Hotel Imperial (,das) auf der Aśok Road
              (liegt)?
R.:   Ja, das!
            Wie weit ist es von hier?
T.:   Etwa 1o km.
R.:   Gut, das ist ja nicht sehr weit.
            Wie lange fährt man?
T.:   Etwa eine halbe Stunde.
R.:   Gut.
. . . . .

T.: Wie lange bleibt der Herr (hier)?
R.: Das weiß ich jetzt noch nicht genau; ich bleibe vielleicht vier oder fünf Tage.
T.: Möchten Sie heute abend eine Stadtbesichtigung machen? Wenn Sie wünschen, komme ich heute abend mit dem Taxi wieder her.
R.: Gut, kommen Sie um vier Uhr!

Vokabular:

अब	ab		jetzt, nun
अभी	abhī (< ab + hī)		im Augenblick, jetzt (emphatisch)
आज	āj		1) heute
			2) an diesem Tage (von dem die Rede ist)
आधा	ādhā	adj.	halb
आना	ānā		kommen
करना	karnā		machen, tun
कहना	kahnā		sagen
कहाँ	kahā̃		1) wo?
			2) wohin?
किलोमीटर	kilomīṭar	subst.m.	(< engl. 'kilometre') Kilometer
को	ko	postp.	(etwa) zu, nach
कोई	koī	adj.	1) irgend einer
			2) einige
क्या	kyā		1) was?
			2) Fragesatz einleitende Partikel
घंटा	ghanṭā	subst.m.	Stunde
चार	cār		vier
जाना	jānā		gehen, fahren
जो	jo	pron.rel.	welcher, der
ठीक	ṭhīk	adj.	richtig
तुम	tum	pron.pers.	(etwa) ihr (du, Sie)

तो	to		Partikel 1) der Zeit: dann 2) des Einwands: doch
दस	das		zehn
दिन	din	subst.m.	Tag
दूर	dūr	adj.	weit, fern
देर	der	subst.f.	Zeitspanne, **Weile**
नहीं	nahī̃		1) nicht 2) nein
पाँच	pā̃c		fünf
फिर	phir		1) wieder 2) dann, darauf
बजा	bajā	part.praet. zu	'bajna' geschlagen; Uhr
मालूम	mālūm		bekannt
में	mẽ	postp.	(etwa) in
मैं	mä̃	pron.pers.	ich
यहाँ	yahā̃		hier, hierher
रहना	rahnā		bleiben; wohnen
रोड	roḍ	subst.m.	(< engl. 'road') Straße
लगना	lagnā		1) angeheftet werden 2) Verb zur Bildung denominativer Verben des Typs 'Subst. + Verb', z.B.'der lagnā' = lange dauern
वह	vah /vo/	pron.dem.	1) jener 2) (etwa) bestimmter Artikel
वही	vahī (< vah + hī)		eben jener
वाला	vālā	Suffix	1) zur Bezeichnung von Nomina agentis: a) karne vālā = Täter b) täksī vālā = Taxifahrer 2) zur Adjektivierung

			von Substantiven (s. 3. LEKTION)
			3) bei Verben etwa 'im Begriff sein zu ...'
शहर	śahar	subst.m.	Stadt
शाम	śām	subst.f.	Abend
शायद	śāyad		vielleicht
सैर	sär	subst.f.	Besichtigung
ही	hī		Partikel der Emphase
होटल	hoṭal	subst.m.	(< engl. 'hotel') 1) Hotel 2) Restaurant, Speisehaus

Erläuterungen:

1) täksī mẽ = (Taxi in =) Im Taxi: Vgl. das zu den Postpositionen in der 1. LEKTION Gesagte. – Zu 'mẽ' vgl. HG 9.3.4.

2) täksī vālā = Taxifahrer, Taxichauffeur: In der 1. LEKTION hieß es 'täksī drāivar'. Die beiden Ausdrücke sind Synonyma, d. h. gleichbedeutend. 'vālā' (fem. 'vālī') bildet Nomina agentis (den Täter bezeichnende Substantive) aus Substantiven und anderen Wortarten. Vgl. HG 13.8.6.

3) kahā̃ jāẽge? = (Wo/hin/ werden gehen? =) Wohin werden Sie gehen? Wohin möchten Sie gehen, fahren?: jāẽge = 3. Person Pluralis Futuri zum Infinitiv 'jānā' (gehen). Das Futurum der Hindī wird aus dem Konjunktiv gebildet:

4) Der Konjunktiv ist – abgesehen vom Präs. Ind. des verbum substantivum 'honā' (sein) – die einzige echt flektierte Verbalform der Hindī. Der Konjunktiv wird mit Hilfe von Personalendungen aus dem Verbalstamm gebildet.

A) Beispiel eines Verbs mit vokalisch auslautendem Stamm
(Der Stammauslaut spielt nur für die Schreibung in Devnāgarī eine Rolle):
Infinitiv: jānā; Stamm: jā-

मैं जाऊँ	mā̃ jāū̃	ich ginge
तू जाए	tū jāe	du gehest
वह जाए	vah /vo/ jāe	er, sie, es gehe
हम जाएँ	ham jāẽ	wir gingen
तुम जाओ	tum jāo	ihr gehet
वे जाएँ	ve jāẽ	sie gingen

Anm.: Der Konjunktiv der 2. Pers. Pl. ist formal dem Imperativ Plur. gleich!

B) Beispiel eines Verbs mit konsonantischem Stammauslaut:
Infinitiv: calnā; Stamm: cal-

मैं चलूँ	mā̃ calū̃	ich ginge weg
तू चले	tū cale	du gehest weg
वह चले	vah cale	er, sie, es gehe weg
हम चलें	ham calẽ	wir gingen weg
तुम चलो	tum calo	ihr gehet weg
वे चलें	ve calẽ	sie gingen weg

Vgl. HG Seite 69 f, 2.

Das <u>Futurum</u> wird aus dem Konjunktiv gebildet, und zwar durch Anfügen der adjektivisch flektierten Endung '-gā'. Die Endung lautet im

masc. sing.   -gā
      plur.   -ge
fem. sing. u. plur. -gī

Die Konjugation des Futurs stellt sich demnach folgendermaßen dar:

	Masculinum			Femininum
A)	मैं जाऊँगा	mā jāūgā	ich werde gehen	मैं जाऊँगी
	तू जाएगा	tū jāegā		तू जाएगी
	वह जाएगा	vah jāegā	er wird gehen	वह जाएगी
				sie wird g.
	हम जाएँगे	ham jāẽge		हम जाएँगी
	तुम जाओगे	tum jāoge		तुम जाओगी
	वे जाएँगे	ve jāẽge		वे जाएँगी
B)	मैं चलूँगा	mā̃ calū̃gā	ich werde gehen	मैं चलूँगी
	तू चलेगा	tū calegā		तू चलेगी
	वह चलेगा	vah calegā	er wird g.	चह चलेगी
				sie wird g.
	हम चलेंगे	ham calẽge		हम चलेंगी
	तुम चलोगे	tum caloge		तुम चलोगी
	वे चलेंगे	ve calẽge		चे चलेंगी

<u>Merke</u>: In der 1. Person Pluralis Feminini Generis (d. h. wenn Frauen von sich sprechen!) wird umgangssprachlich die Form des Masculinums (hier: '-ge') gebraucht. Frauen sagen also wie Männer 'ham jāẽge', 'ham calẽge'. – Im obigen Paradigma ist die grammatisch richtige Form eingesetzt!

Zum Gebrauch des Konjunktivs vgl. HG 13.14.
Zum Gebrauch des Futurs   vgl. HG 13.18.5.

Beispiele zu Futur und Konjunktiv im Text der 2. LEKTION:
kahā̃ jāẽge, sāhab? = Wohin möchten Sie fahren?
kitnī der lagegī? (idiomatisch!) = Wie lange dauert es?
  (wörtlich etwa: Wieviel /fem./ lange wird verbraucht werden /fem./?)
āp kitne (masc. pl.) din yahā̃ rahẽge? = Wie lange bleiben Sie hier?

maĩ śāyad cār-pāc din rahūgā = Ich bleibe vielleicht vier
     oder fünf Tage
usw.

5) vah Impīriyal Hotal jo Aśok Roḍ par hä? = (Jenes Imperial Hotel, welches Aśok Road auf ist? =) Das Hotel Imperial (,das) auf der Aśok Road (ist)?: jo = Relativpronomen

6) vahī < vah hī := eben das, genau dasselbe: vah = der, jener; die, jene; das, jenes; er, sie, es. Die Hindī kennt beim Demonstrativpronomen, das auch als Personalpronomen der 3. Person verwendet wird, keine Genusunterscheidung; wohl aber einen Unterschied der Entfernung des bezeichneten Gegenstandes vom Sprecher: yah = dieser usw., vah = jener usw. - 'hī' ist eine emphatische Partikel zur Hervorhebung eines Wortes im Satz. Sie steht nach dem zu betonenden Wort. Die Betonung geschieht in der Hindī weniger durch Druckakzent, wie dies im Deutschen der Fall ist, als durch Formerweiterung, z. B. eben mit Hilfe der Partikel 'hī': hā̃, vahī = ja, das! - Bei einigen Wörtern treten beim Anfügen von 'hī' Assimilationen auf, vgl. z. B. abhī < ab hī = gerade jetzt, in diesem Augenblick. Man beachte in diesem Beispiel die Schreibung in Devnāgarī:

$$ab + hī > abhī$$
$$अब + ही > अभी$$

(Näheres später.)

7) yahā̃ = hier: Beachte die Anlaute in
     yah = dieser
     vah = jener
     yahā̃ = hier, hierher
     vahā̃ = dort, dorthin
     kahā̃ = wo? wohin?

Merke: y-   = Nähe (beim Sprecher)
        v-, auch t- = Ferne (vom Sprecher)
        k-   = Frage
        j-   = Relativ ('jo' = welcher)

8) yahā̃ se kitnī dūr hā̃? (idiomatisch) = Wie weit ist es von hier?: kitnī = fem. sing. zu 'kitnā' (masc. sing.) = wieviel?

Zur Deklination der Substantive vgl. HG 7. (Zur Interjektion beim Vokativ vgl. HG 17.)
Zur Deklination der Adjektive vgl. HG 1o. - 1o.3.
Zur Kongruenz und Stellung der Adjektive vgl. HG 1o.9. - 1o.11.

9) cār-pāc din = vier oder fünf Tage: Bei der Aufzählung gleichartiger Sachverhalte fehlt in der Hindī meist die Konjunktion. Vgl. 'mā-bāp' (Mutter und Vater /Man beachte die Reihenfolge!/ = Elern) u. a.

1o) kyā āp āj śām ko śahar kī sär karẽge? = (Ob Sie heute Abend-zu Stadt-von-Besichtigung machen werden? =) Wollen Sie heute abend eine Stadtrundfahrt machen?: 'kyā' am Anfang eines Satzes ist Fragepartikel und hat im Deutschen keine formale Entsprechung. 'kyā' in Subjekts- oder Objektsstellung = 'was?': yah kyā hā̃? = was ist das? - āp kyā karẽge? = was werden Sie tun?

11) āp kahẽ to mã̃ ... tāksī le āū̃ = (Sie mögen sagen,dann ich ... das Taxi nehm/end/ käme =) Wenn Sie befehlen, komme ich mit dem Taxi wieder her; Befehlen Sie, so komme ich mit dem Taxi wieder her: Im potentiellen Bedingungssatz (HG 13.15.) steht der Konjunktiv.

12) In Bedingungssätzen kann die einleitende Bedingungs-

konjunktion (Hindī = agar 'wenn') fehlen; die Korrelativ-
konjunktion ('to') steht immer! Vgl. deutsch: Befehlen
Sie, so ...

13) tum ā jānā = (Ihr komm/en/ gehen =) Kommen Sie !: Zum
Infinitiv in imperativischer Funktion vgl. HG 13.11.1.2.
- Zum Verbalkompositum ('ā jānā') ist als Übersetzungs-
hilfe vorerst anzumerken, das der als Verbalstamm erscheinende Teil im Deutschen als finites Verb erscheint,
der finite Verbalteil der Hindī häufig als Präverb oder
adverbielle Bestimmung (vgl. 1. LEKTION): ā jānā = her-
kommen; le ānā = herbringen usf.

3. LEKTION

Im Hotel

[होटल में]

मैनेजर - कहिए, साह्ब।
मुसाफ़िर - क्या आप के होटल में कोई कमरा खाली है?
मै०   - जी हाँ। क्या आप को बाथरूम वाला कमरा चाहिए?
मु०   - हाँ। किराया कितना होगा?
मै०   - पच्चीस रुपया, नाश्ते के साथ। और अगर आप यहाँ खाना भी खाएँ तो पैंतीस रुपया।
मु०   - मैं खाना यहाँ नहीं खाऊँगा।
मै०   - अच्छा, आप की मर्ज़ी।
       आप कितने दिन यहाँ ठहरेंगे?
मु०   - कम-से-कम चार दिन।
मै०   - अच्छा, मेहरबानी करके इस रजिस्टर में अपना नाम, पता वगैरा लिख दीजिए।
       [ब्वॉय से] ब्वॉय, साह्ब का सामान बीस नम्बर के कमरे में ले जाओ।
ब्वॉय - जी अच्छा। चलिए, साह्ब।

Umschrift:

(hotal mẽ)

mănejar - kahie, sāhab!
musāfir - kyā āp ke hotal mẽ koī kamrā <u>kh</u>ālī hă?
mă.   - jī hă! kyā āp ko bāthrūm vālā kamrā cāhie?
mu.   - hă. kirāyā kitnā hogā?
mă.   - paccīs rupayā, nāśte ke sāth. ǫr agar āp yahă
          khānā bhī khāẽ, to p̃atīs rupayā.
mu.   - mẵ khānā yahă nahī khāūgā.
mă.   - acchā, āp kī marzī.
        āp kitne din yahẵ ṭhahrẽge?
mu.   - kam-se-kam cār din.
mă.   - acchā, mehrbānī karke is rajisṭar mẽ apnā nām,
          patā va<u>gh</u>ārā likh dījie!
        (bvŏy se) bvŏy, sāhab kā sāmān bīs nambar ke
        kamre mẽ le jāo!
bvŏy   - jī acchā! calie, sāhab!

Freie Übertragung:

(Im Hotel)

Empfangschef: Sie wünschen, bitte?
Reisender: Haben Sie ein Zimmer frei?
E.:   Jawohl! Wünschen Sie ein Zimmer mit Bad?
R.:   Ja; wie hoch ist der Preis?
E.:   25 Rupien, mit Frühstück. Mit Vollpension
                35 Rupien.
R.:   Ich esse auswärts.
E.:   Gut, wie Sie wünschen. - Wie lange bleiben
                Sie?
R.:   Wenigstens 4 Tage.
E.:   Gut; tragen Sie bitte Namen, Anschrift usw.
                (= Ihre Personalien) in dieses Buch ein.
                (zum Hoteldiener) Bringen Sie das Gepäck
                des Herrn auf Zimmer 2o!
Hoteldiener: Sehr wohl! Bitte, kommen Sie mit!

Vokabular:

अगर	agar	conj.	wenn
अपना	apnā		1) pron. refl.
			2) eigen
कम	kam		wenig
कम-से-कम	kam-se-kam		wenigstens
कमरा	kamrā	subst.m.	Zimmer
किराया	kirāyā	subst.m.	Miete, (Miet-)Preis
खाना	khānā	1) subst.m.	Essen
		2) verb.	essen
ख़ाली	k͟hālī	adj.praed.	leer, frei
चाहिए	cāhie	defekt.Verb	nötig sein, müssen, brauchen
जी	jī	subst.m.	1) Leben
			2) Herr
	-		3) Partikel der Bestätigung
ठहरना	ṭhaharnā		1) anhalten
			2) bleiben
देना	denā		1) geben
			2) (etwa:) 'nicht im eigenen Interesse' ∼ (emphat.) Parasmaipada
नम्बर	nambar	subst.m.	(< engl. 'number') Nummer
नाम	nām	subst.m.	Name
नाश्ता	nāśtā	subst.m.	Frühstück
पच्चीस	paccīs		fünfundzwanzig
पता	patā	subst.m.	1) Anzeichen
			2) Anschrift, Adresse
पैंतीस	pā̃tīs		fünfunddreißig
बाथरूम	bāthrūm (langes 'u'!) subst.m.		(< engl. 'bathroom') Bad, Badezimmer

बीस	bīs		zwanzig
ब्वॉय	bvŏy	subst.m.	(< engl. 'boy') Boy, Hoteldiener
भी	bhī		auch
भी - भी	bhī ... bhī		sowohl ... als auch
मर्जी	marzī	subst.f.	Wunsch, Befehl
मेहरबानी	mehrbānī	subst.f.	Gefallen
- करके	~ karke		bitte
मैनेजर	mănejar	subst.m.	(< engl. 'manager') 1) Manager 2) Geschäftsführer 3) Empfangschef(Hotel)
रजिस्टर	rajistar	subst.m.	(< engl. 'register') 1) Register 2) Geschäftsbuch
लिखना	likhnā		schreiben
वगैरा	vaghārā		usw.
(के) साथ	(ke) sāth	postp.	mit, zusammen mit

Erläuterungen:

1) āp ke hoṭal mē = (Sie-von Hotel-in =) in Ihrem Hotel: Die Postposition 'kā' wird wie ein Adjektiv auf '-ā' flektiert. Vgl. HG 9.3.7.1.

2) koī kamrā = (irgend)ein Zimmer: 'Ein' im Sinne von 'irgendein', 'ein beliebiges' wird durch 'koī' ausgedrückt.

3) kyā ... koī kamrā khālī hä? = Haben Sie ein Zimmer frei?: Das deutsche 'haben' hat keine direkte Entsprechung in der Hindī. Es muß jeweils sinngemäß durch eine andere passende Konstruktion übersetzt werden (Vgl. lat. 'mihi est' usw.):

mere pās kitāb hä = (bei mir ist ein Buch =) Ich habe ein
    Buch;
mere bahin hä = (/In/ meiner /Familie ?/ ist eine Schwe-
    ster =) Ich habe eine Schwester;
merī bhī ek mātr-bhūmi hä = (meines ist auch ein Mutter-
    land =) Ich habe auch ein Vaterland!
Vgl. HG 5.3.6.

4) āp ko ... cāhie = (Ihnen ist notwendig =) Sie brauchen, Sie wünschen: Die Postposition 'ko' bezeichnet u.
a. die dativische Funktion. Vgl. HG 9.3.2. - 'cāhie' ist
verbum impersonale. Zur Konstruktion vgl. HG 5.3.5.C.

5) kirāyā kitnā hogā? = Wie hoch wird die Miete sein?:
Zum Konjunktiv und Futur von 'honā' vgl. HG Seite 69,2.B.

6) nāšte ke sāth = mit Frühstück: Die Hindī kennt eine
ganze Reihe zusammengerückter Postpositionen der Form
'ke/kī + Substantiv im Obliquus'. Vgl. HG 14.5.

7) mehrbānī karke = (Gunst machend =) bitte!: 'karke' ist
unregelmäßiges Verbaladverb zu 'karnā' = tun, machen. Näheres später!

8) likh dījie = tragen Sie ein!: Grundsätzlich würde 'li-
khie' (von 'likhnā' = schreiben) genügen. Doch benutzt
die Hindī, wie bereits gesagt, sehr häufig Verbalkomposita zur genauen Bezeichnung der Aktionsart usw. 'denā'
(= geben) in Verbindung mit einem Verbalstamm drückt aus,
daß die Handlung nicht im eigenen Interesse geschieht.
Also 'likh dījie' = tragen Sie es (im Interesse des Ho-
tels) ein! - Das Gegenteil, das eigene Interesse am
Sachverhalt, wird durch 'lenā' (= nehmen) in Verbindung
mit einem Verbalstamm ausgedrückt (Vgl. Medium des Inter-
esses im Griechischen usw.); z. B.:

    parhnā = lesen
    parh denā = vorlesen
    parh lenā = (sich) durchlesen

Vgl. HG 13.19.1. und 2. und 13.19.3.5. und 6. Zu 'le jāo' vgl. HG 13.19.3.2.

9) bvŏy se = zum Hoteldiener (bvŏy /ʙʊɔi̯/ < engl. 'boy'): Zu 'se' vgl. oben I,3.

1o) bīs nambar ke kamre mẽ = auf Zimmer Nr. 2o: Merke den idiomatischen Ausdruck!

11) In den ersten drei Lektionen sind zahlreiche Personalpronomina aufgetreten. Zu Form und Gebrauch der Personalpronomina vgl. HG 12.1. und die Übersicht HG Seite 49 (Pers.-Pron.). - 'is' (in 'is rejisṭar mẽ') ist der unregelmäßige Obliquus zu 'yah'. Ebenso gehört zu 'vah' der Obliquus 'us'.

4. LEKTION

Bitte um Auskunft

[होटल में]

मैनेजर - नमस्ते।

मुसाफ़िर - नमस्ते। देखिए, मुझे कुछ पैसे बदलने हैं, और पोस्ट ऑफ़िस जाना है। क्या आप बैंक और पोस्ट ऑफ़िस का पता बता सकते हैं?

मै॰ - ज़रूर। बैंक और पोस्ट ऑफ़िस दोनों यहाँ से काफ़ी नज़दीक हैं। मैं आप को बताता हूँ। आप आसानी से वहाँ पहुँच सकते हैं।

[मैनेजर पता बताता है]

मु॰ - शुक्रिया।

मै॰ - आप पैदल ही जा सकते हैं। शायद टैक्सी की ज़रूरत नहीं है।

मु॰ - ठीक है। अगर नज़दीक है तो मैं पैदल ही चला जाऊँगा। बाद में मुझे सिगरेट और कुछ छोटी मोटी चीज़ें भी ख़रीदनी हैं। कहाँ मिलेंगी?

मै॰ - पोस्ट ऑफ़िस के आस-पास कई दुकानें हैं। वहाँ आप ये चीज़ें ख़रीद सकते हैं।

मु॰ - शुक्रिया। और हाँ, तीन बजे मेरे एक दोस्त आने वाले हैं। तब तक मैं वापस आ जाऊँगा।

मै॰ - बहुत अच्छा।

(Die Umschrift wird fortan weggelassen.)

Freie Übertragung:

(Im Hotel)

Empfangschef: Guten Tag!
Reisender: Guten Tag! Sagen Sie, ich muß etwas Geld wechseln und auf die Post gehen. Können Sie mir (die Adresse von Bank und Postamt nennen =) sagen, wo die Bank und das Postamt sind?
E.: Gewiß! Bank und Postamt sind beide gar nicht weit von hier. Ich sage es Ihnen gleich. Sie können leicht hinfinden.

(Der Empfangschef erklärt die Lage)

R.: Dankeschön!
E.: Sie können auch gut ('hī'!) zu Fuß hingehen. Vielleicht ist gar kein Taxi nötig.
R.: Gut! Wenn es nicht weit ist, gehe ich zu Fuß. Dann muß ich noch Zigaretten und ein paar Kleinigkeiten kaufen. Wo finde ich die?
E.: Neben dem Postamt sind ein paar Geschäfte. Dort können Sie die Sachen kaufen.
R.: Danke! - Ach ja, um 3 Uhr kommt mein Freund. Bis dahin bin ich zurück.
E.: Sehr wohl!

Vokabular:

आना	ānā		kommen
(के) आस-पास	(ke) ās-pās	postp.	in der Nähe (von)
आसानी	āsānī	subst.f.	Leichtigkeit
कई	kaī	adj.	einige (Plural)
काफ़ी	kāfī	adj.	genug
कुछ	kuch	adj.	etwas, wenig; einige
ख़रीदना	kharīdnā		kaufen
चीज़	cīz	subst.f.	Sache, Ding
छोटा	choṭā	adj.	klein
ज़रूर	zarūr	adj.praed.	1) nötig 2) sicher, gewiß

ज़रूरत	zarūrat	subst.f.	Notwendigkeit
तक	tak	postp.	bis
तब	tab	adv.	dann
दुकान	dukān	subst.f.	Laden, Geschäft
देखना	dekhnā		sehen
दोनों	donõ		beide (vgl. 'do' = 2)
दोस्त	dost	subst.m.	Freund
नज़दीक	nazdīk	adj.	nahe
नमस्ते	namaste		(Hindū-Gruß; entspr. 'Guten Tag', 'Auf Wiedersehen' usw.
पहुँचना	pahũcnā /pŏʰŏčna_/		ankommen, hinkommen (terminativ)
पैदल	pädal	adv.	zu Fuß
पोस्ट ऑफ़िस	post ŏfis	subst.m.	(< engl. 'post office') Postamt
बताना	batānā		sagen, angeben
बदलना	badalnā		wechseln, umtauschen
बाद में	bād mẽ	adv.Bestimm.	dann, danach
(के) बाद	(ke) bād	postp.	nach
बैंक	bänk	subst.m.	(< engl. 'bank') Bank
मिलना	milnā		(angetroffen werden >) 1) treffen 2) bekommen, erhalten
मेरा	merā	pron.poss.	mein
मोटा	moṭā	adj.	1) dick 2) (hier:) Echowort zu 'choṭā'
वापस	wāpas		1) zurück 2) wieder
शुक्रिया	śukriyā		danke!
सकना	saknā		können
सिगरेट	sigreṭ	subst.f.	(< engl. 'cigarette') Zigarette

Erläuterungen:

1) mujhe kuch päse badalne hä̃ = (mir einige Gelder zu wechseln/de7 sind =) ich muß etwas Geld wechseln: Der adjektivisch flektierte Infinitiv hat gerundivische Funktion. Vgl. HG 13.9.1.

2) Zur Flexion des Indikativs von 'honā' vgl. HG 13.11.2.1.2.

3) Vgl.: mujhe päse badalne hä̃ - ich muß Geld wechseln
mujhe poṣt ŏfis jānā hä - ich muß zur Post (gehen)
āp ko kamrā cāhie - Sie brauchen ein Zimmer, Sie wünschen ein Zimmer
ṭäksī kī zarūrat hä - Ein Taxi ist nötig, man benötigt (braucht) ein T.

4) mujhe poṣt ŏfis jānā hä: Bei Verben der Bewegung, bes. 'jānā' fehlt häufig die richtungangebende Postposition ('ko'). 'poṣt ŏfis' ist also Obliquus, der sich aber in diesem Falle nicht vom Absolutus unterscheidet. Vgl. HG 7.3.2.4.2. - Siehe auch 'tīn baje' = um 3 Uhr: 'baje' = Obliquus Singularis (!) nach einem Zahlwort (Näheres später).

5) kyā āp patā batā sakte hä̃? = Können Sie (mir) die Anschrift nennen?; āp vahā̃ pahũc sakte hä = Sie können hingelangen: Zu 'saknā' (können) mit Verbalstamm vgl. HG 13.19.3.1.1o.

6) mã̄ āp ko batātā hū̃ = Ich sage es Ihnen (gleich): Zur Bildung des Präsens vgl. HG Seite 68, 1.A. - Zum praesens pro futuro vgl. HG 13.18.1.6.
Das nicht-aktuelle (durative) Präsens wird druch das Participium Praesentis + finite Form von 'honā' gebildet.

Zur Bildung des Participium Praesentis vgl. HG 13.9.2.1.

Paradigma des durativen (nicht-aktuellen) Präsens:

Infinitiv: 'batānā' = sagen

	masc.	fem.
1.P.Sg.	mā̃ batātā hū̃	mā̃ batātī hū̃
	ich sage (gewöhnlich, oft, immer)	
2.	tū batātā hä	tū batātī hä
3.	vah batātā hä (er!)	vah batātī hä (sie!)
1.P.Pl.	ham batāte hä̃	ham batātī hä̃
2	tum batāte ho	tum batātī ho
3	ve batāte hä	ve batātī hä

Zur 1.P.Plur.fem. siehe das unter II,2 Gesagte!

Diese Form des nicht-aktuellen (durativen) Präsens drückt einen zeitindifferenten ("Der Mensch ist sterblich") oder dauernd gültigen ("Das Kind geht zur Schule") oder sich gewohnheitsmäßig wiederholenden ("Ich gehe täglich ins Büro") Sachverhalt aus. (Weiteres später)

7) mänejar patā batātā hä = Der Empfangschef nennt die Adresse: Das Präsens steht in der Hindī in sogen. Regieanweisungen. Es ist hier als tempus-indifferentes Präsens in Opposition zum aktuellen Präsens (z.B. 'likh rahā hä = er schreibt jetzt, gerade, in diesem Augenblick) zu erklären.

8) āsānī se = (mit Leichtigkeit =) leicht (adv.): Die Hindī liebt adverbielle Bestimmungen der Form 'Substantiv + Postposition', das Deutsche zieht einfache Adverbien (indekl. Adjektive) vor.

9) kuch chotī motī cīzẽ = einige kleinere Sachen, einige

Kleinigkeiten: 'Echowörter' sind in der Hindī (wie anderen neuindischen Sprachen) sehr beliebt, vgl. deutsch: Kuddelmuddel. Es gibt verschiedene Bildungstypen, z.B.:
a) Wiederholung des Wortes unter Anlautveränderung (Häufig wird der anlautende Konsonant in einen Labial - vielfach m- - verwandelt); dadurch entstehen 'Reimwörter':
 chotā motā (klein), bartan-vartan (Geschirr; 'bartan' = Topf), bistra-mistra (Bettzeug), nǫkar-cākar (Diener, Dienerschaft), milnā julnā (sich versammeln)
b) Dem Worte wird seine Reimform unter Wegfall des Anlauts vorangesetzt:
 ās-pās (in der Nähe), vgl. (ke) pās (bei)
Die Bildung benutzt vielfach andere, in der Sprache bereits bestehende Wörter (oft gegensätzlicher oder ähnlicher Bedeutung) chotā (klein) + motā (dick) = chotā motā (klein). In anderen Fällen kommt die Reimform nicht als eigenes Wort vor: bartan-vartan, nǫkar-cākar, ās-pās usw. Mit Echowörtern wird zumeist eine Verallgemeinerung des Inhalts des einfachen Wortes bezeichnet (x + dergleichen); bei den Substantiven ergeben sich dann Kollektiva (bartan = Topf; bartan-vartan = Töpfe u. dgl. = Geschirr). Es kommt aber auch vor, daß ein Echowort dem einfachen Wort synonym gebraucht wird (nǫkar = Diener = nǫkar-cākar).

1o) (cīzē mujhe) kahā milēgī? = (Wo werden mir die Dinge angetroffen; Wo treffen die Dinge mich =) Wo kann ich die Dinge bekommen?: Vgl. HG 5.3.5.

11) mere ek dost āne vāle hā̃ = Ein Freund von mir wird kommen:
A. Zur Bildung der Possessivpronomina vgl. HG Übersicht

Seite 49, zum reflexiven Possessivpronomen HG 12.2.5.
B. Merke die idiomatische Stellung 'merā ek dost' = ein Freund von mir, einer meiner Freunde
C. āne vālā: Nomina agentis dieser Bildung (Infinitiv im Obliquus + adjektivisch flektiertes 'vālā') werden prädikativ zum Ausdruck der nahen Zukunft ('im Begriff sein') gebraucht. Vgl. HG 13.8.6.
D. mere dost āne vale hä̃: Plural als Honorificum! Der Plural maskuliner Nomina und maskuliner und femininer Verbalformen sowie der Pronomina kann als Honorificum für e i n e Person gebraucht werden:
ve sāhab bahut acche mänejar hä̃ = Dieser Herr ist ein sehr guter Hotelier; oder: Diese Herren sind sehr gute Hoteliers (Der Kontext - die Situation - entscheidet über die Bedeutung!)
Sarojinī Nāydū maśhūr huī ... in ke pitā daktar Aghornāth Cattopādhyāy vijñān ke bahut bare vidvān the = S. N. wurde (fem.!) sehr berühmt ... Ihr Vater, Dr. A. C., war (masc.!) ein ganz bedeutender Wissenschaftler
Zur Bezeichnung männlicher Respektspersonen (z.B. des Vaters) muß der Respektsplural angewandt werden.
Merke: Im Obliquus der maskulinen Substantive (feminine Substantive haben den Respektsplural sowieso nie!) wird der Respektsplural nicht angewandt:
rājā kā mahal - der Palast des Königs
rājāõ kā mahal - der Palast der Könige
rājā ke mahal - die Paläste des Königs
rājāõ ke mahal - die Paläste der Könige
Dies ist selbstverständlich auch bei der Er-

gativkonstruktion (davon später!) zu beachten:
rājā ne kahā = der König sprach ...
rājāõ ne kahā = die Könige sprachen ...

5. LEKTION

Auf der Bank

[बैंक में]

क्लर्क — कहिए, मैं आप की क्या मदद कर सकता हूँ?

मुसाफ़िर — मेरे पास ये जर्मनी के ट्रैवलर्स चेक हैं। मैं पाँच सौ मार्क रुप-
यों में बदलना चाहता हूँ।

क्ल० — बहुत अच्छा, लाइए। इन चेकों पर यहाँ दस्तख़त कीजिए। और अप-
ना पासपोर्ट भी दीजिए।.....
आप ज़रा ठहरिए, मैं अभी आया।.....
यह लीजिए, पाँच सौ मार्क के पाँच सौ अट्ठानवे रुपये और
पन्द्रह नये पैसे। गिन लीजिए।

मु० — शुक्रिया। नमस्ते।

क्ल० — नमस्ते।

Freie Übertragung:

(Auf der Bank)

Angestellter: Sie wünschen? Womit kann ich Ihnen dienen?
Reisender: Ich habe hier diese deutschen Reiseschecks. Ich möchte 500 DM in Rupien umwechseln.
A.: Sehr wohl! Geben Sie sie mir bitte! – Bitte unterschreiben Sie hier auf den Schecks. Und geben Sie mir auch Ihren Reisepaß. – Warten Sie bitte einen Augenblick; ich komme sogleich zurück. – Hier, bitte; 598 Rupien und 15 Naya Paisa für 500 DM. Zählen Sie bitte nach!
R.: Danke sehr! Auf Wiedersehen!
A.: Auf Wiedersehen!

Vokabular:

क्लार्क	klark	subst.m.	(< engl. 'clerk') Angestellter
गिनना	ginnā		zählen
चाहना	cāhnā		wünschen, wollen
	mā̃ cāhtā hū̃		ich möchte
चेक	cek	subst.m.	(< engl. 'cheque') Scheck
ज़रा	zarā	adj.	1) etwas 2) (adv.) mal, einmal
जर्मनी	jarmanī	subst.f.	(< engl. 'Germany') Deutschland
ट्रैवलर्स चेक	trävlars cek	subst.m.	(< engl. 'traveller's cheque') Reisescheck
दस्तखत	dastkhat	subst.m.	Unterschrift
नया	nayā	adj.	neu
नया पैसा	nayā päsā		(kleinste ind. Geldeinheit = 1/100 Rupie)
(के) पास	(ke) pās	postp.	bei
पासपोर्ट	pāsport	subst.m.	(< engl. 'passport') Reisepaß

मदद	madad	subst.f.	Hilfe
मार्क	mārk	subst.m.	Mark, DM
लाना	lānā	verb.intr.	(< le ānā) herbringen

Erläuterungen:

1) Man beachte in jedem Text genau die fremde Ausdrucksform und ihre Übertragung in idiomatisches Deutsch!

2) mere pās = bei mir: Zum Gebrauch der Postpositionen vgl. jeweils den entsprechenden Abschnitt in HG 9. Bei den mit einer Form von 'kā' (der "Genitiv"-Partikel) gebildeten Postpositionen tritt bei Anfügung an eine Pronominalform natürlich deren Possessivform (auf '-rā') auf:

us ke pās = bei ihm   larke ke pās = bei dem Jungen
mere pās = bei mir   hamāre pās = bei uns

Vgl.: us kā ghar = sein Haus
      merā ghar = mein Haus

      larke kā ghar = das Haus des Jungen
      hamārā ghar = unser Haus

3) un cekõ par = auf den Schecks: Zur Deklination der Demonstrativa vgl. HG Übersicht Seite 49.

4) Zu den Zahlen vgl. HG 11. - Die Zahlwörter müssen sorgfältig gelernt werden! Zu beachten ist, daß die Zahlwörter bis '1oo' "unregelmäßig" sind.

5) mã abhī āyā = Ich komme sogleich: 'āyā' ist Participium Praeteriti (masc. sing.) zu 'ānā' (kommen).
Zur Bildung des Participium Praeteriti vgl. HG 13.9.2.1. und 13.9.2.2.
Das Partizip dient zugleich als 'finite' Verbalform zum Ausdruck des in der Vergangenheit abgeschlossenen Vorgangs ('Aorist'). Näheres später!

Zum Praeteritum pro futuro vgl. HG 13.18.5.

5) yah līji̇e = Nehmen Sie bitte dies! Zu den Höflichkeitsformen des Imperativs vgl. das zu I, 11 Gesagte und die dortigen Verweise auf HG.

6. LEKTION

Auf dem Postamt

[पोस्ट ऑफ़िस में]

पोस्ट ऑफ़िस में बहुत-से लोग हैं। टिकिटों की खिड़की पर लंबी लाइन लगी हुई है। मुसाफ़िर लाइन में खड़ा हो जाता है। कुछ देर के बाद उस की बारी आती है।

मुसाफ़िर — मुझे कुछ टिकिट ख़रीदने हैं, हिन्दुस्तान के लिए और हवाई डाक से यूरोप के लिए।

क्लर्क — आप को कितने टिकिट चाहिए?

मु॰ — यहाँ के लिए ७ (सात) और बाहर के लिए १० (दस)।

क्ल॰ — यह लीजिए। और कुछ?

मु॰ — हाँ, मुझे चार एयर लेटर भी चाहिए।

क्ल॰ — यह लीजिए। कुल मिला कर १२ (बारह) रुपये ४० (चालीस) नये पैसे हुए।

[मुसाफ़िर पैसे दे कर तार की खिड़की पर जाता है]

मु॰ — मुझे दो तार के फ़ार्म दीजिए। क्या मैं हिन्दी में तार भेज सकता हूँ?

क्ल॰ — हिन्दी में। क्या आप हिन्दी में तार भेजना चाहते हैं?

मु॰ — हाँ। कम-से-कम कोशिश तो करूँगा।

क्ल॰ — अच्छी बात है। फ़ार्म भर कर मुझे दे दीजिए।

(Die freie Übertragung bleibt fortan weg.)

Vokabular:

एयर लेटर	eyar leṭar	subst.m.	(< engl. 'air letter') Luftpostleichtbrief
और कुछ	or kuch		noch etwas
कुल	kul	adj.	alles, ganz
	kul milā kar		(zu 'milānā') alles zusammen
कोशिश	kośiś	subst.m.	1) Anstrengung, Mühe, Bemühung
			2) Versuch
खड़ा	kharā	adj.	aufrecht, stehend
	kharā ho jānā		sich aufstellen
खिड़की	khirkī	subst.f.	Fenster, Schalter
टिकिट	ṭikiṭ	subst.m.	(< engl. 'ticket') 1) Fahrkarte
			2) Eintrittskarte
			3) Briefmarke
डाक	ḍāk	subst.m.	Post
तार	tār	subst.m.	1) Draht
			2) Telegramm
फ़ार्म	fārm	subst.m.	(< engl. 'form') Formblatt, Formular
बात	bāt	subst.f.	1) Angelegenheit
			2) Wort
बारी	bārī	subst.f.	Mal, Reihe
	us kī bārī ātī hä		er kommt an die Reihe
बाहर	bāhar		(nach) draußen
भरना	bharnā		1) füllen
			2) ausfüllen
भेजना	bhejnā		schicken, senden
मिला कर	milā kar (zu 'milānā')		(zusammenfassend) zusammen

यूरोप	yūrop	subst.m.	(< engl. 'Europe') Europa
लंबा	lambā	adj.	lang
लाइन	lāin	subst.f.	(< engl. 'line') 1) Linie 2) Schlange (von Menschen)
(के) लिए	(ke) lie	postp.	für
लोग	log	subst.m.pl.	Leute
हवाई	havāī	subst.f.	1) Luft 2) Lufthauch, Wind
हवाई डाक	havāī ḍāk		Luftpost
हिन्दी	hindī	adj.	Hindī
हिन्दुस्तान	hindustān	subst.m.	Indien
हो जाना	ho jānā		werden

<u>Erläuterungen:</u>

1) bahut-se log = sehr viele Leute: Das adjektivisch flektierte Suffix '-sā' hat zwei Funktionen-
A) An Substantive und Adjektive angefügt, bezeichnet es die Ähnlichkeit, z.B. 'ādmī-sā' = wie ein Mensch; 'kālā-sā' = schwärzlich;
B) An Adjektive angefügt, bezeichnet es eine Verschiedenheit vom Adjektivinhalt-
  a) eine Abschwächung (vgl. A.: 'kālā-sā' = schwärzlich, d. h. 'nicht ganz schwarz')
  b) eine Intensivierung ('kālā-sā' = tiefschwarz)
Vgl. HG 1o.4. bis 1o.6.

2) lāin lagī huī hä = ... steht eine Schlange: Zur adjektivierenden Funktion von 'huā' vgl. HG 13.9.2.4./5.

3) kul milā kar = alles zusammen: 'milā kar' ist Verbaladverb zu 'milnā' (sich treffen). 'kul milā kar' = nachdem alles (sich) versammelt hat > alles zusammen. - Zu Form

und Funktion des Verbaladverbs vgl. HG 13.1o und 13.19.
3.1.

4) bhej saktā hū = ich kann schicken - bhejnā cāhtā hū = ich möchte schicken: Verbalkomposita sind jeweils genau nach ihrer Form zu bestimmen! Zur Funktion der Formen vgl. HG 13.19.

5) acchī bāt hä = das ist gut! gut! fein! schön!: Merke die Redensart. - 'bāt' (Angelegenheit, frz. affaire, engl. matter) wird häufig verwendet, wo im Deutschen ein unbestimmtes Neutrum steht: yah bāt sun kar = dieses gehört habend (> danach)

7. LEKTION

Im Laden

सड़क पर काफ़ी भीड़ है। साइकिलें, बसें और मोटरें दौड़ रही हैं। किनारे-किनारे लोग चल रहे हैं। कुछ लोग खड़े हुए बातें कर रहे हैं। सड़क की दूसरी तरफ़ कुछ छोटी दुकानें हैं। मुसाफ़िर एक दुकान के अन्दर जाता है। दुकानदार मेज़ के पास एक कुरसी पर बैठा हुआ है। कुछ ग्राहक सामान ख़रीद कर और पैसे दे कर बाहर निकल रहे हैं।

दुकानदार - आइए साहब। आप को क्या चाहिए?

मुसाफ़िर - मुझे नहाने का साबुन और एक टूथ पेस्ट चाहिए।

दु॰ - यह लीजिए - हमाम साबुन। यह बहुत अच्छा है। और टूथ पेस्ट आप को कौन-सा चाहिए?

मु॰ - कोई भी अच्छा-सा। वह जो वहाँ रखा है, कैसा है, और उस का क्या दाम है?

दु॰ - यह बहुत बिकता है। दाम सिर्फ़ दो रुपया है।

मु॰ - ठीक है। यही दे दीजिए।.....
अच्छा, आप के पास सिगरेटें भी तो हैं। मुझे कोई अच्छी-सी हिन्दुस्तानी सिगरेट दीजिए।

दु॰ - असली हिन्दुस्तानी सिगरेट तो यह "चार मीनार" है। लेकिन यह बहुत तेज़ है। पता नहीं, आप को पसन्द आएगी या नहीं।

मु॰ - तेज़ होने दीजिए। मैं एक पैकेट तो लूँगा ही। दाम क्या है?

दु॰ - सिर्फ़ चार आने।

मु॰ - चार आने। इतनी सस्ती।

Vokabular:

अन्दर	andar		(nach) innen
असली	aslī	adj.	echt, unverfälscht
आना	ānā	subst.m.	Anna (alte Münzeinheit, noch in lebendigem Gebrauch, = 1/16 Rupie; 4 āne = 25 N.P. /naye paise/)
इतना	itnā	adj.	so sehr, so viel (wie dies)
किनारा	kinārā	subst.m.	1) Rand > 2) Ufer 3) Bürgersteig
	kināre-kināre		an den Seiten, auf dem Bürgersteig
कुरसी	kursī	subst.f.	Stuhl
कैसा	kɛsā	adj.	wie?
कैसे	kɛse	adv.	wie? auf welche Weise?
कौन	kɔn		wer?
कौन-सा	kɔn-sā		welcher?
ग्राहक	grāhak	subst.m.	Kunde, Käufer
टूथ-पेस्ट	tūth-pest	subst.m.	(< engl. 'tooth-paste') Zahnpasta
तरफ़	taraf	subst.f.	1) Richtung 2) Seite
तेज़	tez	adj.	1) scharf, spitz 2) scharf, gewürzt 3) schnell
तो	to	Partikel	1) dann (Korrelativ zu 'jab') 2) doch (Gegensatz) 3) bhī to = ja auch
दाम	dām	subst.m.	Preis
दुकानदार	dukāndār	subst.m.	Laden-, Geschäftsinhaber, Kaufmann

दूसरा	dūsrā	adj.	zweiter, anderer
दौड़ना	dǫrnā		laufen, (schnell)fahren
नहाना	nahānā		1) schwimmen
			2) baden
निकलना	nikalnā		hinausgehen, herauskommen
पता नहीं	patā nahī̃		(Ein Zeichen ist nicht da >) /Ich habe (usw.)7 keine Ahnung, weiß nicht
पसन्द	pasand	subst.m.	Zuneigung, Freude
पसन्द आना	pasand ānā		j-m ('ko') gefallen
पैकेट	päket̥	subst.m.	(< engl. 'packet') Päckchen, Packung
बस	bas	subst.f.	(< engl. 'bus') Autobus
बात करना	bāt karnā		sich unterhalten
बिकना	biknā		verkauft werden, sich verkaufen
भीड़	bhī̃r̥	subst.f.	Menge, Gedränge
मीनार	mīnār	subst.m.	Turm, Minarett
चार मीनार	cār mīnār		(berühmtes Gebäude in Haiderabad, A.P. – hier: danach benannte Zigarettenmarke)
मेज़	mez	subst.f.	(< port. 'mesa') Tisch
मोटर	mot̥ar	subst.f.	(< engl. 'motor') 1) Motor
			2) Kraftfahrzeug, Auto
रखना	rakhnā		stellen, setzen, legen
लेकिन	lekin	adv.	aber
सड़क	sar̥ak	subst.f.	Straße
सस्ता	sastā	adj.	billig
साइकिल	sāikil	subst.f.	(< engl. 'cycle') Fahrrad

साबुन	sābun	subst.m.	Seife
सिर्फ़	sirf	adv.	nur
हमाम	hamām	subst.m.	Seife (hier: Seifenmarke)
हिन्दुस्तानी	hindustānī	adj.	indisch

Erläuterungen:

1) basẽ dǫr rahī hẫ - log cal rahe hẫ - log batẽ kar rahe hẫ: Die Form 'Verbalstamm + (adjektivisch flektiertes) rahā + (finite Form von) honā' dient der Darstellung eines aktuellen Sachverhalts. Die Bedeutung ist 'so ist es jetzt, gerade', 'das geht im Augenblick vor sich', 'das tut ... gerade'. - 'rahā' ist formal Participium Praeteriti zu 'rahnā' (bleiben). 'mẫ dǫr rahā hū̃' heißt also wörtlich etwa 'Ich bin im Lauf verblieben' = 'Ich bin (gerade) am Laufen' = Ich laufe gerade. Dagegen 'mẫ dǫrtā hū̃ = 'Ich bin ein Laufender' = Ich laufe dauernd. - musāfir andar jātā hẫ: Die Form '(adjektivisch flektiertes) Participium Praesentis + (finite Form von) honā' dient der Darstellung eines zeit-indifferenten oder jedenfalls nicht-aktuellen Sachverhalts. Die Bedeutung ist 'so ist es immer, im allgemeinen, zumeist, gewöhnlich'. Das nicht-aktuelle Präsens wird auch in 'Regieanweisungen' gebraucht (Vgl. IV, 4).

Beispiele zum Paradigma: Infinitiv 'jānā'

```
1.P.Sg.masc. mẫ jātā hū̃    fem. mẫ jātī hū̃   ich gehe (im-
2            tū jātā hẫ          tū jātī hẫ    mer)
3            vah jātā hẫ         vah jātī hẫ   (er : sie)
1.P.Pl.masc. ham jāte hẫ   fem. ham jātī hẫ
2            tum jāte ho         tum jātī ho
3            ve jāte hẫ          ve jātī hẫ
```

```
1.P.Sg.masc.  mä jā rahā hū    fem.  mä jā rahī hū    ich gehe
2                 tū jā rahā hä        tū jā rahī hä    (gerade)
3                 vah jā rahā hä       vah jā rahī hä   (er:sie)
1.P.Pl.masc.  ham jā rahe hä   fem.  ham jā rahī hä
2                 tum jā rahe ho       tum jā rahī ho
3                 ve jā rahe hä        ve jā rahī hä
```

<u>Anm.</u>: Für alle Formen gilt, daß <u>umgangssprachlich</u> die 1. Person Plur. fem. durch die 1. Person Plur. masc. ersetzt wird, also Frauen sagen wie Männer 'ham kahte hä' (wir sagen) statt 'ham kahtī hä'!

Im habituellen Praeteritum gilt der gleiche Unterschied zwischen aktuellen und nicht-aktuellen Formen:

```
1.P.Sg.masc.  mä jātā thā    fem.  mä jātī thī    ich pfleg-
2                 tū jātā thā        tū jātī thī    te zu ge-
3                 vah jātā thā       vah jātī thī   hen, ich
1.P.Pl.masc.  ham jāte the   fem.  ham jātī thī   ging (im-
2                 tum jāte the       tum jātī thī   mer)
3                 ve jāte the        ve jātī thī

1.P.Sg.masc.  mä jā rahā thā fem.  mä jā rahī thī ich war
2                 tū jā rahā thā     tū jā rahī thī gerade
                                                     dabei zu
3                 vah jā rahā thā    vah jā rahī thī gehen
1.P.Pl.masc.  ham jā rahe the    ham jā rahī thī
2                 tum jā rahe the    tum jā rahī thī
3                 ve jā rahe the     ve jā rahī thī
```

Zu den Formen von 'honā' vgl. HG 13.11.2.1.
Zur Bildung der Formen von Vollverben vgl. HG 13.11.2.2. A. - D.
Zur Funktion der Formen vgl. HG 13.18.

<u>Merke:</u>　　vah hä　　　　　es ist
　　　　　　vah hotā hä　　　es ist im allgemeinen, es pflegt
　　　　　　　　　　　　　　　zu sein

Die Formen 'hotā hä' usw. drücken einen Sachverhalt aus,
der Ausnahmen zuläßt, z. B.:
　　　　　vah gārī barī hä　　　das ist ein großes Auto
　　　　　ve gāriyā barī hä　　 die Autos da sind groß
　　　　　gāriyā barī hä　　　　alle Autos sind groß, Autos
　　　　　　　　　　　　　　　　sind immer groß
　　　　　gāriyā barī hotī hä　Autos sind im allgemeinen
　　　　　　　　　　　　　　　　groß
　　　　　ve gāriyā barī hotī hä die Autos da sind (wohl
　　　　　　　　　　　　　　　　alle) groß
　　　　　ve mere bhāī hä　　　 das ist mein (älterer) Bru-
　　　　　　　　　　　　　　　　der
　　　　　ve mere bhāī hote hä　er ist mir wie ein Bru-
　　　　　　　　　　　　　　　　der; er scheint mein
　　　　　　　　　　　　　　　　Bruder zu sein

2) dukāndār ek kursī par bäthā huā hä - der Kaufmann
sitzt auf einem Stuhl:
<u>Merke:</u>　　bäthnā　　　　 sich setzen
　　　　　　vah bäthtā hä　　er setzt sich
also:　　　vah bäthā hä　　 er hat sich gesetzt = er sitzt

Die Hindī faßt Zustände als Ergebnisse einer voraufgegangenen Handlung: kitāb mez par rakhī hä = das Buch liegt
auf dem Tisch (rakhnā = legen!). Vgl. 'rahā' zu 'rahnā'
(bleiben). - <u>Formal</u> parallel ist 'vah kharā hä = er steht.
Aber 'kharā' ist Adjektiv, es gibt kein *kharnā (sich
stellen)!

3) tūthpest āp ko kaun-sā cāhie?: Zu 'kaun-sā'(= welcher

aus einer Auswahl; vgl. engl. 'which') vgl. HG 12.5.3.

4) vah jo vahā̃ rakhā hä = die, welche dort drüben liegt
= dort drüben die: Zur Konstruktion von Relativsätzen
vgl. HG 12.3.

<u>Merke:</u> Die sog. Relativpronomina der Hindī werden gern
als 'Relativadjektiva' verwandt. (Beispiele siehe HG)

Zu den Pronominalformen der Hindī vgl. nochmals und jetzt
im Zusammenhang HG 12.

5) yah bahut biktā hä = diese wird viel verkauft: Die
Hindī hat zahlreiche Verben passivischen Inhalts (biknā
= verkauft werden).

Zur Form und Bildung der Verben vgl. HG 13.1. - 5.
Zur Form und Bildung eines Passivs vgl. HG 13.19.3.6.1.
A. - D.
Zur Konstruktion vgl. HG 5.3.3./4.

6) āp ke pās sigreṭẽ bhī to hä = Sie haben da ja auch
Zigaretten: Zu den Partikeln der Hindī vgl. HG 16. -
Es wurde bereits in den Erläuterungen zur 1. LEKTION er-
wähnt, daß die Hindī zahlreiche Wörter aus dem Englischen entlehnt hat. Das Genus dieser Wörter in der Hindī
entspringt zumeist der Analogie zu bereits vorhandenen
Ausdrücken ähnlicher Bedeutung, z. T. auch der Form, z.
B.: sigreṭ, fem. nach 'bīṛī (ind. billige Zigarette);
bas (Autobus), fem. nach 'gāṛī' (Auto); ṭäksī, fem. nach
'gāṛī', aber wohl auch als Substantiv auf -ī. - In der
heutigen Schriftsprache bemüht man sich um einen Ersatz
der Fremdwörter aus dem einheimischen Wortschatz heraus,
doch bevorzugt die Umgangssprache nach wie vor die frem-

dem Ausdrücke; daher sie auch hier gebraucht werden. Die neugeprägten Wörter klingen vielfach gezwungen und gekünstelt.

7) tez hone dījie = Es macht nichts, wenn sie stark sind: Vgl. HG 13.19.3.4.2.

8. LEKTION

Unterhaltung

दोस्त से मुलाक़ात

मुसाफ़िर — नमस्ते — नमस्ते, रामलाल साहब। आप अच्छे तो हैं?

रामलाल — नमस्ते। ब्राउन साहब। आप की मेहरबानी है। आप कैसे हैं?

ब्रा॰ — शुक्रिया, मैं ख़ूब मज़े में हूँ।

रा॰ — आप का सफ़र कैसा रहा?

ब्रा॰ — जी, बहुत अच्छा रहा। रास्ते में कोई परेशानी नहीं हुई।

रा॰ — मुझे आप की चिट्ठी परसों मिल गयी थी। आज सवेरे मैं आप के टेलीफ़ोन का इंतज़ार कर रहा था। फिर मुझे किसी काम से बाहर जाना पड़ा। आप का फ़ोन मेरे जाने के बाद आया। मगर आप का संदेसा मुझे मिल गया।

ब्रा॰ — मैं जल्दी ही फ़ोन करने वाला था, मगर थोड़ी देर हो गयी।

रा॰ — कोई बात नहीं। क्या आप शहर में कहीं हो आये?

ब्रा॰ — हाँ। मैं ने कुछ ज़रूरी काम कर लिये। पैसे बदले, छोटी-मोटी चीज़ें ख़रीदीं और पोस्ट ऑफ़िस भी हो आया। और हाँ, ख़ास बात तो यह कि मैं एक रेस्तराँ में जा कर हिन्दुस्तानी खाना भी खा आया।

रा॰ — सच?

Vokabular:

इंतज़ार	intazār	subst.m.	Erwartung
काम	kām	subst.m.	Arbeit
कहीं	kahī̃	adv.	irgendwo
ख़ास	khās	adj.	besonderer
ख़ूब	khūb	adj.	gut
चिट्ठी	citthī	subst.f.	Brief
ज़रूरी	zarūrī	adj.	nötig, notwendig
जल्दी	jaldī	subst.f.	1) Eile, Schnelligkeit 2) (adv.) schnell
टेलीफ़ोन	telīfon	subst.m.	(< engl. 'telephone') 1) Telefon, Fernsprecher 2) Ferngespräch, Anruf
थोड़ा	thorā	adj.	wenig
पड़ना	paṛnā		1) fallen 2) (Modalverb) müssen
परसों	parsõ	adv.	1) vorgestern 2) übermorgen
परेशानी	pareśānī	subst.f.	Schwierigkeit
फिर	phir	adv.	1) dann 2) wieder 3) zurück
फ़ोन	fon	subst.m.	(< engl. 'phone') Anruf, Ferngespräch
	bāt: koī bāt nahī̃		das macht nichts!
ब्राउन	brāun		(Eigenname: Braun)
मज़ा	mazā	subst.m.	1) Geschmack 2) Vergnügen
	mã̄ khūb maze mẽ hū̃		es geht mir gut
मगर	magar	adv.	aber

मुलाक़ात	mulāqāt	subst.m.	1) Treffen, Besuch
			2) Unterhaltung, Gespräch (mit = 'se')
मेहरबानी	mehrbānī	subst.f.	Gunst, Güte
	āp kī mehrbānī hä		danke der Nachfrage
रामलाल	rāmlāl		(Eigenname)
रास्ता	rāstā	subst.m.	Weg
रेस्तरां	restarā	subst.m.	(< französ.) Restaurant
लाल	lāl	1) adj.	rot
		2) subst.m.	(Titel; etwa 'Herr'); häufig 2. Teil eines Namens)
संदेसा	sandesā	subst.m.	Nachricht, Botschaft
सच	sac	adj.	wahr
सफ़र	safar	subst.m.	Reise
सवेरा	saverā	subst.m.	Morgen
सवेरे	savere	subst.m.obl.	morgens, am Morgen

Erläuterungen:

1) Zur Bildung und Funktion der Vergangenheitsformen vgl. HG 13.11.2.2.1. und 13.18.2. bis 4., sowie 13.7.
Zur Konstruktion der Formen mit Participium Praeteriti transitiver Verben vgl. HG 9.3.1., 5.3.2. und 13.18.2.6. Anmerkung.
Für die Pronominalformen vgl. die Übersicht HG Seite 49.

Beispiel zur Übersicht:

larkā rāstā dekhtā hä   der Junge sieht eine Straße
    ('dekhtā' kongruiert mit 'larkā')
larkā gārī dekhtā hä   der Junge sieht ein Auto
    ('dekhtā' kongruiert mit 'larkā')
larke ne rāstā dekhā   der Junge sah eine Straße
    ('dekhā' kongruiert mit 'rāstā')

laṛke ne gāṛī dekhī   der Junge sah ein Auto
    ('dekhī' kongruiert mit 'gāṛī')
laṛkī rāstā dekhtī hä   das Mädchen sieht e-e Str.
    ('dekhtī' kongruiert mit 'laṛkī')
laṛkī gāṛī dekhtī hä   das Mädchen sieht ein Auto
    ('dekhtī' kongruiert mit 'laṛkī')
laṛkī ne rāstā dekhā   das Mädchen sah e-e Straße
    ('dekhā' kongruiert mit 'rāstā')
laṛkī ne gāṛī dekhī   das Mädchen sah ein Auto
    ('dekhī' kongruiert mit 'gāṛī')
laṛkā mitr ko dekhtā hä   der Junge sieht seinen Freund
    ('dekhtā' kongruiert mit 'laṛkā')
laṛke ne mitr ko dekhā   der Junge sah seinen Freund
    ('dekhā' steht absolut, ist sozusagen Neutrum)
laṛkā laṛkī ko dekhtā hä   der Junge sieht das Mädchen
    ('dekhtā' kongruiert mit 'laṛkā')
laṛke ne laṛkī ko dekhā   der Junge sah das Mädchen
    ('dekhā' steht absolut, ist sozusagen Neutrum)
laṛkī sakhī ko dekhtī hä   das Mädchen sieht seine
                              Freundin
    ('dekhtī' kongruiert mit 'laṛkī')
laṛkī ne sakhī ko dekhā   das Mädchen sah s-e Fr.
    ('dekhā' steht absolut)
laṛkī laṛke ko dekhtī hä   das Mädchen sieht d. Jungen
    ('dekhtī' kongruiert mit 'laṛkī')
laṛkī ne laṛke ko dekhā   das Mädchen sah den Jungen
    ('dekhā' steht absolut)

Zum Verständnis der Konstruktion sei angemerkt, daß sie aus der passivischen Konstruktion transitiver Verben des Altindischen unter Verwendung des altindischen Participium Perfecti hervorgegangen ist:

Sanskṛt:	रामो नदीं पश्यति
	rāmo nadīm paśyati
Hindī:	राम नदी देखता है
	rām nadī dekhtā hä
Deutsch:	Ram sieht den Fluß
Sanskṛt:	रामेण नदी दृष्टा
	rāmena nadī dṛṣtā
Hindī:	राम ने नदी देखी
	rām ne nadī dekhī
Deutsch:	Ram sah den Fluß

(Anm.: Im Sanskṛt ist -ā Femininendung!)

Die Konstruktion wird durchsichtig, wenn man die passivische Herkunft berücksichtigt. Zu bedenken ist aber, daß sie heute in der Hindī keinen passivischen Inhalt mehr hat! Wie in den voraufgegangenen Lektionen bereits angedeutet wurde, gibt es eigene Passivformen in der Hindī! Daß kein wirkliches Passiv vorliegt, erhellt bereits daraus, daß das Objekt (Passiv: 'Subjekt') mit der Postposition 'ko' erscheinen kann. In diesem Falle ist natürlich keine Kongruenz der Verbalform(en) möglich; deren Form (masc. sing.) fungiert dann als neutrale (absolute) Form.

Intransitiva haben keine Ergativ-Konstruktion:

laṛkā jātā hä	der Junge geht
laṛkā gayā	der Junge ging

Merke: Es gibt - wie in HG angegeben - einige intransitive Verben mit Ergativ-Konstruktion und transitive ohne dieselbe. Vgl. vor allem 'lānā' (< le ānā). - Ist in einem Verbalkompositum e i n Bestandteil intransitiv, so wird die Ergativ-Konstruktion nicht angewandt!

2) mujhe bāhar jānā parā = ich mußte ausgehen: Vgl. HG 13.19.3.3.

9. LEKTION

(Fortsetzung)

रामलाल — सच? आप ने पहले ही दिन हिन्दुस्तानी खाना भी खा लिया?

ब्राउन — हाँ, हाँ। क्या आप को ताज्जुब हो रहा है?

रा० — थोड़ा ताज्जुब तो ज़रूर हो रहा है। मगर यह तो बताइए, खाना लगा कैसा?

ब्रा० — न पूछिए: मज़ा भी आया और कुछ परेशानी भी हुई।

रा० — मैं समझ गया। खाने में मिर्च-मसाला ज़्यादा था।

ब्रा० — हाँ, मैं ने जानबूझ कर ही आर्डर दिया था।

रा० — फिर तो आप ने परेशानी खुद ही मोल ली।

ब्रा० — मगर मैं ने कहा न कि मज़ा भी बहुत आया।

रा० — चलिए, फिर तो ठीक है। अब आप को एक दिन मेरे घर पर भी खाना खाने को आना पड़ेगा।

ब्रा० — नेकी और पूछ-पूछ। आप की दावत का इंतज़ार रहेगा।

Vokabular:

ऑर्डर	ŏrdar	subst.m.	(< engl. 'order') Befehl, Auftrag (hier:) Bestellung
खुद	khud	adj.	selbst
घर	ghar	subst.m.	Haus
जानबूझना	jānbūjhnā		wissen
जानबूझ कर	jānbūjh kar		wissentlich, absichtlich
ज़्यादा	zyādā	adj.	1) genügend, genug 2) ziemlich 3) mehr
ताज्जुब	tājjub	subst.m.	Verwunderung
दावत	dāvat	subst.f.	1) Fest 2) Einladung zum Fest
न	na		1) nicht 2) nicht? nicht wahr?
नेकी	nekī	subst.f.	Güte, Gutheit
	nekī or pūch-pūch		das ist sehr freundlich (von Ihnen)!
पहला	pahlā	adj.	erster
पूछ	pūch	subst.m.	Frage, Nachfrage
पूछना	pūchnā		fragen (j-n = 'se'!)
मसाला	masālā	subst.m.	Gewürz
मिर्च	mirc	subst.f.	Pfeffer
मिर्च-मसाला	mirc-masālā	sing.	Gewürze (plur.)
मोल	mol	subst.m.	Preis, Kosten
मोल लेना	mol lenā		kaufen (hier:) sich einbrocken
समझना	samajhnā		1) verstehen 2) denken, glauben, meinen

Erläuterungen:

1) khānā lagā kāsā? = Wie ist (Ihnen) das Essen bekommen?: Zur Wortstellung vgl. HG 19.

2) na pūchie = Fragen Sie mich nicht!: Zur Opposition 'na' : '**nahī̃**' vgl. HG 14.3.7.

3) mã͂ ne kahā na ki mazā bahut āyā = Ich sagte Ihnen ja schon, daß es mir sehr gefallen hat (... sehr gut geschmeckt hat): Zur Konstruktion der indirekten Rede vgl. HG 2o.

4) khānā khāne ko = zum Essen: Zur Konstruktion finaler Ausdrücke stehen im wesentlichen 3 Formen zur Verfügung.

Umgangssprachlich: khānā khāne ke lie restarā̃ jānā
Schriftsprachlich: khānā khāne ko   restarā̃ jānā
        "   khānā khāne   restarā̃ jānā
('In ein Restaurant gehen, um zu essen'; 'Zum Essen in ein Restaurant gehen')

5) āp kī dāvat kā intazār rahegā = Ich erwarte Ihre Einladung: Nach HG 13.1. kann das Prädikat in der Hindī verschiedene Formen annehmen - der Verbalausdruck kann einfach (ursprünglich), abgeleitet oder zusammengerückt sein. Bei der Form 'Substantiv + (Hilfs)Verb' eines Verbalkompositums sind zwei Fälle zu unterscheiden: Im einen gehen die beiden Komponenten eine so enge Verbindung ein, daß die Zusammenrückung wie e i n Wort behandelt wird - eine evtl. Ergänzung ist Prädikatsobjekt und steht demgemäß im Casus absolutus oder Casus obliquus + 'ko', z. B.:

   larkī kām śurū kartī hä - Das Mädchen beginnt eine Arbeit ('kām' ist Objekt zu dem   e i n e n   Prädikat 'śurū karnā').

Im anderen Falle ist die Zusammenrückung nur sehr lose
(vielleicht nur durch die Übersetzung in das Deutsche mit
e i n e m   Verb vorgetäuscht) - eine evtl. Ergänzung
wird als nominale Ergänzung dem Prädikatssubstantiv mit
einer Postposition (zumeist 'kā') vorangesetzt, z. B.:

    āp kī dāvat kā intazār rahegā - Ich erwarte Ihre Ein-
ladung (oder, wörtlicher, mit ähnlicher Konstruktion:
'Ich verbleibe in Erwartung Ihrer Einladung'). 'Dāvat'
ist Ergänzung zu 'intazār'.

1o. LEKTION
Bitte um Auskunft

[स्टेशन पर]

क्लर्क — कहिए साहब?

ब्राउन — देखिए, मुझे चौदह तारीख़ की शाम को बम्बई जाना है। मेहरबानी करके बताइए कि क्या पाँच बजे के बाद कोई गाड़ी बम्बई जाती है।

क्ल० — जी हाँ। दो गाड़ियाँ जाती हैं। सात बजे एक पैसेंजर, और साढ़े आठ बजे एक्सप्रेस।

ब्रा० — मैं एक्सप्रेस से ही जाऊँगा। क्या मुझे चौदह तारीख़ को उस गाड़ी में जगह मिल सकती है?

क्ल० — आप किस क्लास में सफ़र करना चाहते हैं?

ब्रा० — अगर हो सके तो सेकंड क्लास में। लेकिन मैं ने सुना है कि कुछ गाड़ियों में सेकंड क्लास नहीं रहता।

क्ल० — ठीक है। मगर इस गाड़ी में सेकंड क्लास रहता है। लेकिन चौदह तारीख़ के लिए सब सीटें रिज़र्व हो चुकी हैं।

ब्रा० — ओह। अच्छा तो फिर क्या फ़र्स्ट क्लास में जगह मिल सकेगी?

क्ल० — हाँ, अभी दो बर्थ ख़ाली हैं। आप कहें तो एक बर्थ आप के लिए रिज़र्व किया जा सकता है।

ब्रा० — ज़रूर कर दीजिए। बर्थ का मतलब तो यह है कि मुझे सोने की जगह भी मिलेगी?

क्ल० — हाँ, ज़रूर।

ब्रा० — और रास्ते में खाने का क्या इंतज़ाम है?

क्ल० — उस गाड़ी में डाइनिंग कार साथ चलती है। आप वहाँ जा कर खाना खा

सकते हैं, या चाहें तो अपने डिब्बे में भी मँगा सकते हैं।
ब्रा० - ठीक है। शुक्रिया।

Vokabular:

एक्सप्रेस	ekspres	subst.f.	(< engl. 'express') Schnellzug
ओह	oh		(Interjektion des Erstaunens, der Verwunderung, der Enttäuschung; etwa: 'ach!')
क्लास	klās	subst.m.	(< engl. 'class') Klasse
गाड़ी	gāṛī	subst.f.	1) Wagen > 2) Auto 3) (Eisenbahn-)Zug
चुकना	cuknā		1) aufhören 2) 'schon'
जगह	jagah	subst.f.	1) Ort 2) Platz, Sitzplatz
डाइनिंग कार	ḍāining kār	subst.f.	(< engl. 'dining car') Speisewagen
डिब्बा	ḍibbā	subst.m.	1) Schachtel 2) Dose 3) Eisenbahnwagen 4) Abteil
तारीख़	tārīkh	subst.f.	Datum
	cọdah tārīkh		am 14.
पैसेंजर	päsenjar	subst.f.	(< engl. 'passenger') Personenzug
फ़र्स्ट	farsṭ: farsṭ klās		(< engl. 'first class') 1. Klasse
बम्बई	bambaī		Bombay
बर्थ	barth	subst.m.	(< engl. 'berth') 1) Liegeplatz 2) Kabinenplatz
मँगाना	māgānā		erbitten, bestellen
मतलब	matlab	subst.m.	Bedeutung

रिज़र्व	rizarv	subst.m.	(< engl. 'reserve') Reservierung
	rizarv honā		reserviert sein
	rizarv karnā		reservieren
वहाँ	vahā̃		dort, dorthin
सुनना	sunnā		hören
सीट	sīṭ	subst.f.	(< engl. 'seat') Sitz, (Sitz-)Platz
सेकंड	sekanḍ		(< engl. 'second') 1) m. Sekunde 2) sekanḍ klās = 2. Klasse
सोना	sonā	1) verb.	schlafen
		2) subst.m.	Gold
स्टेशन	sṭeśan	subst.m.	(< engl. 'station') Bahnhof

Erläuterungen:

1) sab sīte̐ rizarv ho cukī hā̃ = alle Plätze sind bereits reserviert: Bei der Bildung verbaler Ausdrücke aus Substantiven gilt für die Hindī vielfach folgende Regel –
'Substantiv + honā' = Verb passivischen Inhalts
        rizarv honā   –   reserviert sein
'Substantiv + karnā' = Verb aktivischen Inhalts
        rizarv karnā   –   reservieren
Zugleich ergibt erstere Form ein intransitives Zustands-, letztere ein transitives Vorgangsverb (Handlungsverb).

2) apne ḍibbe mẽ = in Ihrem Abteil: Zum Reflexivum (Pronomen und Adjektiv) vgl. HG 12.2.

11. LEKTION

Die Landschaften Indiens

हिन्दुस्तान बहुत बड़ा देश है। पूर्व से पश्चिम तक उस की लम्बाई लगभग ३००० किलोमीटर है, और उत्तर से दक्षिण तक ३२०० किलोमीटर। हवाई जहाज़ से फ्रांकफुर्ट से कैरो पहुँचने में जितना समय लगता है, उतना ही समय हिन्दुस्तान को उत्तर से दक्षिण तक पार करने में लगेगा।

हिन्दुस्तान की आबादी अब (सन् १९६४ में) ४५ करोड़ के लगभग होगी। यह पूरी दुनिया की आबादी का सातवाँ हिस्सा है।

हिन्दुस्तान की उत्तरी सीमा पर हिमालय पर्वत-माला है। पूर्व, पश्चिम और दक्षिण में समुद्र है। पूर्वी और पश्चिमी किनारों पर भी, समुद्र से कुछ हट कर, पहाड़ों के सिलसिले हैं, जिन्हें पूर्वी घाट और पश्चिमी घाट कहते हैं।

अगर कोई रेल के द्वारा बम्बई से मदरास जाए तो उसे पहले पश्चिमी घाट मिलेंगे। उन्हें पार करने के बाद दक्षिण का पठार आ जाएगा, जो पूर्वी किनारे तक फैला हुआ है।

यह पठार उत्तर में विंध्य पर्वत-माला के पास तक पहुँच जाता है। पहाड़ों के उस पार पहुँचने पर गंगा का बनाया हुआ मैदान शुरू हो जाता है।

उत्तर भारत की तीन नदियाँ प्रसिद्ध हैं - गंगा, यमुना और ब्रह्मपुत्र। उसी प्रकार गोदावरी, कृष्णा और कावेरी दक्षिण भारत की बड़ी नदियाँ हैं।

उतने बड़े देश की सैर करने के लिए बहुत समय चाहिए। समय कम हो तो भी बम्बई, मदरास, कलकत्ता, बनारस, आगरा और दिल्ली उन शहरों में से दो या तीन शहर ज़रूर देखना चाहिए। कलकत्ता, बम्बई और मदरास उस देश के सब से बड़े शहर हैं। दिल्ली हिन्दुस्तान की राजधानी है, बनारस हिन्दू धर्म तथा संस्कृति का केन्द्र है, और आगरा तो ताजमहल के कारण प्रसिद्ध ही है।

Bemerkung: Für die Vokabeln der Lektionen 11 bis 14 wird auf das alfabetische Verzeichnis am Ende des Lesebuches verwiesen. - Grammatische Erscheinungen sind in HG mit Hilfe des dortigen Registers (Seite 1oo - 1o3) und Inhaltsverzeichnisses (Seite I - III) leicht aufzufinden. Fortan wird nur noch in seltenen und besonders schwierigen Fällen eigens auf HG verwiesen.

Erläuterungen:

1) Außerindische Eigen- und Ortsnamen erscheinen überwiegend in englischer ("indo-englischer") Lautgestalt; bei indischen Ortsnamen macht sich heute z. T. eine antikisierende Mode bemerkbar. - Vgl.: frānkfurt (auch: frānkfort), kāro (Kairo), vindhya (Vindhya), gaṅgā (Ganges), yamunā (Jumna), kr̥snā (Krishna), kalkattā (Kalkutta), banāras (offiziell: varānasī), dillī (Delhi). Der Tajmahal ist das berühmteste Bauwerk Indiens (in Agra).

2) Erscheinungen der Wortbildung werden nicht eigens abgehandelt, da feste Regeln nicht oder kaum zu geben sind und die Einzelwörter ja doch in jedem Falle gelernt werden müssen. Mit fortschreitenden Kenntnissen stellt sich auch auf diesem Gebiet von selbst das "Sprachgefühl" ein. - Zu 'pār karnā' (überqueren) vgl. X, 1. 'uttar' : 'uttarī' (Norden : nördlich); 'gharīb' : 'gharībī' (arm : Armut) zeigen -ī das eine Mal als adjektivierendes Suffix, das andere Mal als Suffix zur Bildung "abstrakter" Substantive.

3) 'karor' HG 11.1. - 'ke pās tak' HG 9.4. (Doppelpostpositionen) - 'usī' HG 16.1. ('hī'), besonders 16.1.4. - 'sab se bare' HG 1o.7. (Komparation)

12. LEKTION

Flora und Fauna

प्रिय......,

बम्बई पहुँचने के साथ ही मैं ने तुम्हें पत्र लिख दिया था। उस के ३ - ४ दिन बाद एक और पत्र भी लिखा था। आशा है, दोनों मिल गये होंगे।

आज मुझे इस देश में आ कर दस दिन हो गये। इतने दिनों में मैं ने यहाँ बहुत-कुछ देख लिया। बड़े शहर, पुरानी इमारतें, मन्दिर, मूर्तियाँ, अजायबघर आदि आदि। लेकिन रेल से सफ़र करते समय जो पेड़-पौधे और पशु-पक्षी मुझे दिखाई दिये, उन में से बहुत-से मेरे लिए बिलकुल नये थे। पहली बात तो यह है कि आजकल, जब जर्मनी में सब ओर बर्फ़ ही बर्फ़ दिखाई पड़ रहा होगा, यहाँ सब-कुछ हरा-भरा है। काश कि तुम भी मेरे साथ यहाँ होतीं, और यह सब अपनी आँखों से देख सकतीं।

मैं ने जहाँ-तहाँ भारी-भारी बरगद के पेड़, लहलहाते हुए पीपल के पेड़ और आमों के बाग़ देखे। बस्तियों के पास बाग़ीचों में गुलाब के अलावा चमेली और बेले की लताएँ, तथा गेंदों और कनेर भी दिखाई दिये। कई जगहों पर छोटे-बड़े तालाबों में ढेर के ढेर सफ़ेद और लाल कमल के फूलों को देख कर तबियत ख़ुश हो गयी। खेतों में गेहूँ की फ़सल खड़ी हुई थी, और कहीं-कहीं ईख के खेत भी थे। ईख का ताज़ा रस मैं ने किसी शहर में पिया था। कई जगह मुझे केलों के खेत देखने को मिले, जिन में फलों के भारी-भारी गुच्छे लटक रहे थे। इस ऋतु में केलों और सन्तरों के अलावा दूसरे फल नहीं होते - आम, तरबूज़, ख़रबूज़ आदि फलों की ऋतु जब आएगी, तब तक मैं जर्मनी लौट चुका होऊँगा।

सफ़र में मुझे जंगली जानवर देखने को नहीं मिले, सिवाय कुछ बन्दरों के

जो पेड़ों पर या खेतों में कूद रहे थे। यों एक-दो जगह मैं ने पालतू हाथी और ऊँट ज़रूर देखे। लेकिन इस देश में तरह-तरह के पक्षी सभी जगह दिखाई पड़ जाते हैं। खेतों में घूमते हुए मोर मेरे लिए बिलकुल नयी चीज़ थी। आकाश में उड़ते हुए तोते और सारस मुझे बहुत सुन्दर लगे। पर यहाँ के कुछ पक्षी कुरूप और गन्दे भी हैं, जैसे चील, कौए और गिद्ध। कौए तो शहरों में भी मरे पड़े हैं। हिन्दुस्तान में भैंसो बहुत हैं, यह तुम्हें मालूम ही है। मैं ने खेतों में चरती हुई गायें कम देखीं, भैंसें ज़्यादा।

आशा है, तुम स्वस्थ और सानन्द हो।

तुम्हारा,

.....

Erläuterungen:

1) tabiyat khuś ho gayī = ich habe mich gefreut; ich habe mich (an ...) erfreut

2) khetõ mẽ gehũ kī fasal kharī huī thī = auf den Feldern stand der Weizen in voller Reife, ... reif zur Ernte

3) sivāy kuch bandarõ ke (Stellung!) = kuch bandarõ ke sivāy

13. LEKTION

Essen und Trinken

मैं जब तक हिन्दुस्तान में रहा, तब तक मैं ने रोज़ हिन्दुस्तानी ही खाना खाया। आप जानते ही हैं कि उस देश के लोग मसाले बहुत खाते हैं। दाल, शाक, माँस और मछली - सभी में मसाले डाले जाते हैं। मुझे ये मसालेदार खाने पसन्द भी आये।

दालें कई तरह भी होती हैं - अरहर, उड़द, मूँग, चना, मटर और मसूर। इन में से सिर्फ़ मटर और मसूर यूरोप में मिलती हैं।

हिन्दुस्तान में शाक भी सब तरह के मिलते हैं - आलू, गोभी, बंदगोभी, बैंगन, कद्दू, लौकी, तोरई, पालक, भिंडी आदि। इन में से कुछ शाक आप ने भी खाये होंगे, पर हिन्दुस्तानी ढंग से बने हुए शाकों का स्वाद कुछ और ही होता है।

दाल और शाक रोटी, पूड़ी या चावल (भात) के साथ खाये जाते हैं। रोटी या चपाती ताज़े आटे की बनायी जाती है, और पहले तवे पर, फिर कोयलों पर सेक कर तैयार की जाती है। पूड़ी भी एक तरह की रोटी ही है, जो घी में तल कर बनायी जाती है।

पंजाब, उत्तर प्रदेश और राजस्थान के लोग रोटी अधिक खाते हैं, चावल कम। बंगाल, आसाम, उड़ीसा, आन्ध्रप्रदेश, तमिलनाडु, मैसूर और केरल के लोग प्रायः चावल ही खाते हैं।

इन सब के अलावा और भी ऐसी चीज़ें मैं ने हिन्दुस्तान में खायीं, जो सवेरे नाश्ते में या तीसरे पहर चाय-काफ़ी के साथ खायी जाती हैं। इन में कुछ चीज़ें नमकीन होती हैं, और कुछ मीठी। नमकीन चीज़ें में समोसा और घी या तेल में तली हुई मूँग या चने की दाल उत्तर भारत के लोगों को बहुत पसन्द हैं। समोसा एक छोटी-सी पूड़ी में उबाले हुए आलू भर कर बनाया जा-

ता है। दक्षिण भारत में दोसा बहुत खायी जाती है, जो चावल और उड़द के आटे से बनी हुई एक तरह की रोटी है।

हिन्दुस्तान में बीसियों तरह की मिठाइयाँ बनती हैं। कुछ मिठाइयाँ दूध से बनती हैं, और कुछ गेहूँ या किसी दाल के आटे से। मैं ने कई तरह की मिठाइयाँ खायीं, और मुझे सभी अच्छी लगीं, पर वे कैसे बनायी जाती हैं, यह मुझे मालूम नहीं हो सका। दो-चार के सिर्फ़ नाम आप को बता सकता हूँ - लड्डू, पेड़ा, जलेबी, कलाकन्द, इमरती।

हिन्दुस्तान में चाय और काफ़ी का उतना प्रचार नहीं है, जितना यूरोप में। उत्तर भारत के लोग चाय अधिक पीते हैं, और दक्षिण भारत के काफ़ी। गर्मी के दिनों में उत्तर भारत में शरबत और लस्सी बहुत पिये जाते हैं। शरबत तो आप जानते ही हैं। लस्सी भी दही से बना हुआ एक तरह का शरबत है।

मुझे माँस और मछली खाने का अवसर एक-दो बार ही मिला। जिन दोस्तों ने मुझे हिन्दुस्तान में अपने घर पर खाना खिलाया, वे सभी शाकाहारी थे। यों भी हिन्दुस्तान के लोग माँस कम ही खाते हैं। मैं ने सुना कि बंगाल में मछली बहुत खायी जाती है, पर बंगाल में गया ही नहीं।

14. LEKTION

Indische Feste

आगरा - २५ मार्च, १९६४

प्रिय मित्र,

पिछले पत्र में मैं तुम्हें इस देश के पेड़-पौधों और पशु-पक्षियों के बारे में लिख चुका हूँ। आज कुछ और सुनो।

कल मैंने इस शहर में एक अनोखा दृश्य देखा। सड़क पर खूब भीड़ थी। बच्चे, जवान और बूढ़े सभी अपने-अपने घरों से निकल पड़े थे। लेकिन सिर्फ आदमी, औरतें नहीं। सब के कपड़े तरह-तरह के रंगों से तर थे - कहीं लाल रंग, कहीं पीला, कहीं हरा और कहीं नीला। कई लोगों के मुँह पर भी रंग पुते हुए थे। कुछ के हाथों में रंगों की पिचकारियाँ थीं, जिन से वे एक-दूसरे पर रंग डाल रहे थे। कुछ रंगीन पाउडर लिये हुए थे, और एक-दूसरे के मुँह पर यह पाउडर लगा रहे थे। एक नौजवान ने मेरे मुँह पर भी "गुलाल" (लाल पाउडर) लगा दिया।

पूछते पर पता लगा कि यह होली का त्योहार था, जो हिन्दू वर्ष की समाप्ति पर, प्रायः मार्च के महीने में, मनाया जाता है। उस दिन सभी हिन्दू एक-दूसरे पर रंग छिड़क कर, खुशियाँ मना कर, नये वर्ष का और वसन्त ऋतु का स्वागत करते हैं। यह त्योहार सचमुच रंगीन है।

एक दूसरा बड़ा त्योहार दिवाली है। यह वर्षा ऋतु की समाप्ति पर, प्रायः नवम्बर में, मनाया जाता है। इसे मैं देख तो नहीं सकूँगा, क्योंकि मुझे अभी १५-२० दिन में यूरोप लौट आना है, लेकिन इस के बारे में मैंने जानकारी पा ली है। त्योहार असल में रोशनी का त्योहार है। त्योहार की रात को सभी लोग अपने-अपने घरों को बिजली के बल्बों या तेल के दियों से सजाते हैं। प्रत्येक घर की खिड़कियाँ, दरवाज़ों और दीवारों पर रोशनी होती है। गरी-

बों की झोंपड़ियाँ और अमीरों के महल, सभी जगमगाने लगते हैं। बच्चे आतिशबाज़ियाँ छोड़ते हैं। मित्र और सम्बन्धी एक-दूसरे से मिलने जाते हैं, और एक-दूसरे के घरों पर मिठाइयाँ भेजते हैं।

मुझे लोगों ने यह भी बताया कि महाराष्ट्र में गणेश-चतुर्थी, बंगाल में दुर्गा-पूजा, दक्षिण-भारत में संक्रान्ति (पोंगल) और उत्तर प्रदेश में दशहरा तथा कृष्णाष्टमी भी बड़े त्योहार हैं। गणेश, दुर्गा और कृष्ण के नामों से तुम समझ ही गये होगे कि इन त्योहारों का संबन्ध देवी-देवताओं से है। दशहरे का संबन्ध राम और सीता से है, और संक्रान्ति, होली-दिवाली की तरह, एक ऋतु का त्योहार है, जो सर्दियों में मनाया जाता है।

त्योहारों के अलावा इस देश में कई बड़े-बड़े मेले भी होते हैं। इन में सब से बड़ा कुम्भ का मेला है, जो बारह साल के बाद इलाहाबाद में मनाया जाता है। मैंने सुना कि इस मेले में दस लाख से भी अधिक आदमी इकट्ठे होते हैं।

इस देश के बारे में दूसरी बातें तुम्हें मिलने पर बताऊँगा।

भाभी जी से नमस्ते कहना।

तुम्हारा,

WÖRTERVERZEICHNIS

Das folgende Verzeichnis enthält die in diesem Buche vorkommenden Wörter und ihre Bedeutungen in der Reihenfolge des Devnāgarī-Alfabets. Die Zahlen geben die Lektion an, in der das jeweilige Wort zum erstenmal auftritt.

अगर c., wenn (3)
अच्छा a., gut (1)
अजायबघर s.m., Museum (< ajāyab /Plur. zu arab. ajab = Wunder/ + ghar) (12)
अधिक a., viel; mehr (13)
अनोखा a., ungewöhnlich (17)
अन्दर (nach) innen (7)
अपना Pron. refl.; eigen (3)
अब jetzt, nun (2)
अभी (< ab + hī) im Augenblick, jetzt (2)
अमीर a., edel, adlig; reich (17)
अरद s.m., Gemüseart (13)
(के) अलावा p., außer, neben (12)
अवसर s.m., Gelegenheit (13)
असल s.m., Grund, Basis (17)
असल में im Grunde (17)
असली a., echt, unverfälscht (7)

आँख s.f., Auge (12)
आकाश s.m., Himmel, Firma-
ment (12)
आज heute; an diesem Tage (von dem die Rede ist) (2)
आजकल heutzutage (< āj = heute + kal = gestern, morgen) (12)
आटा s.m., Mehl (13)
आतिशबाज़ी s.f., Feuerwerk, Feuerwerkskörper (17)
आदमी s.m., Mensch; Mann (17)
आदि und so weiter (12)
आध a., halb (2)
आना v.i., kommen (2)
आना s.m., alte Münzeinheit, als Rechnungseinheit noch in lebendigem Gebrauch, = 1/16 Rupie; 4 āne = 25 N. P. (naye päse) (7)
आन्ध्रप्रदेश s.m., Staat im SO der Indischen Union (13)
आप p.p., Sie (1)
आबादी s.f., Ortschaft; Einwohnerschaft, Einwohner-

zahl (11)
आम s.m., Mango (12)
आर्डर s.m., (< engl. 'order') Auftrag, Befehl, Bestellung (9)
आलू s.m., Kartoffel (13)
आशा s.f. Hoffnung (12)
आशा है hoffentlich, ich hoffe (daß)
(के) आस-पास p., in der Nähe (+ Gen.) (4)
आसानी s.f., Leichtigkeit (4)
आसाम s.m., Staat im NO der Indischen Union: Assam (13)

इंतज़ार s.m., Erwartung (8)
इकट्ठा a., versammelt (17)
इतना a., so (wie dies) (7)
इमरती s.f., Art Süßigkeit (13)
इमारत s.f., Gebäude, Bauwerk (12)
इलाहाबाद s.m., Allahabad (Stadt) (17)

ईख s.m., Zuckerrohr (12)

उड़द s.m. Bohnenart (Phaseolus radiatus) (13)
उड़ना fliegen (12)
उड़ीसा s.m., Staat im NO der Indischen Union: Orissa (13)
उतना a., so viel (wie jenes) (13)
उत्तर s.m., Norden (11)
उत्तर s.m., Antwort (11)
उत्तर प्रदेश s.m., Staat im N der Indischen Union ("Nordprovinz") (13)
उत्तरी a., nördlich (11)
उबालना v.t., kochen (v.t.) (13)

ऊँट s.m., Kamel (12)

ऋतु s.f., Jahreszeit (12)

एक eins; ~ unbest. Artikel (1)
एक्सप्रेस s.f., (< engl. 'express') Schnellzug (10)
एयर लेटर s.m., (< engl. 'air letter') Luftpostleichtbrief (6)
एयरपोर्ट s.m., (< engl. 'airport') Flughafen (1)

ओर s.f., Seite; Richtung (12)
सब ओर überall
ओह Interjektion des Erstau-

nens, der Verwunderung,
der Enttäuschung; ~ ach!
(1o)

और c., und (1)
और कुछ noch etwas (6)
और भी (auch) noch (13)
औरत s.f., Frau (17)

कई a., einige (Pl.) (4)
कद्दू s.m., Kürbisart (13)
कनेर s.m., Oleander, Rosen-
  lorber (nerium o.) (12)
कपड़ा s.m., Tuch; Pl.: Kleid,
  Kleidung (17)
कम a., wenig (3)
कम-से-कम wenigstens
कमरा s.m., Zimmer (3)
कमल s.m., Lotus (12)
करना v.t., machen, tun (2)
कल gestern; morgen (17)
कलाकन्द s.m., eine Süßigkeit
  in Form runder Bällchen
  (13)
कहना v.t., sagen (2)
कहाँ wo? wohin? (2)
कहीं irgendwo (8)
कहीं-कहीं hier und da (12)
का p., ~ von (1)
काफ़ी a. praed., genug (4)
काफ़ी s.f. (< engl. 'coffee')

Kaffee (13)
काम s.m., Arbeit (8)
कारण s.m., Grund, Ursache
  (11)
(के) कारण p., wegen (11)
काश (कि) i., ~ wollte Gott!
  (lat. 'utinam') (bleibt
  häufig unübersetzt) (12)
कितना a., wieviel? (1)
किनारा s.m., Rand; Ufer;
  Bürgersteig (7)
किनारे-किनारे an den Seiten,
  auf dem Bürgersteig
किराया s.m., Miete, (Miet-)
  Preis (3)
किलोमीटर s.m. (< engl. 'kí-
  lometre') Kilometer (2)
कुछ a., etwas, wenig; einige
  (4)
कुम्भ s.m., ein Hindufest
  (wird alle 12 Jahre ge-
  feiert) (17)
कुरसी s.f., Stuhl (7)
कुरूप a., ungestalt, häß-
  lich (12)
कुल a., alles, ganz
कुल मिला कर alles zusammen
  (6)
कूदना v.i., springen; umher-
  springen (12)
कृष्ण s.m., Krischna (17)

कृष्णाष्टमी s.f., ein Hindufest zu Ehren Krisch-
   nas (17)
केन्द्र s.m., Zentrum (11)
केरल s.m., Staat im SW der
   Indischen Union: Kérala (13)
केला s.m., Pisang; Banane (12)
कैसा a., wie? (7)
कैसे (Adverb) wie? (7)
को p., ~ zu
कोई a., irgend einer; einige (2)
कोयला s.m., Kohle (13)
कोशिश s.m., Anstrengung,
   Mühe, Bemühung; Versuch
कौआ (कव्वा) /kʌṹːa_/ s.m.,
   Krähe (12)
कौन wer? (7)
कौन-सा welcher? (7)
क्या was? (2)
क्या Fragesatz einleitende
   Partikel (2)
क्योंकि c., weil (17)
क्लर्क s.m., (< engl. 'clerk')
   Angestellter (5)
क्लास s.m., (< engl. 'class')
   Klasse (1o)
खड़ा a., aufrecht stehend
खड़ा हो जाना v.i., sich auf-
   stellen (6)
खरबूज़ s.m., (glatte) Melone (12)
खरीदना v.t., kaufen (4)
खाना v.t., essen (3)
खाना s.m., Essen (3)
खाली a., leer, frei (3)
खास a., besonderer (8)
खिड़की s.f., Fenster, Schalter (6)
खिलाना v.t., füttern; bewirten (13)
खुद a., selbst (9)
खुशी s.f., Freude, Fröhlichkeit (17)
खुशियाँ मनाना sich freuen,
   fröhlich sein
खूब a., gut (8)
खेत s.m., Feld (12)

गणेश s.m., ein elefantenköpfiger Gott (17)
गन्दा a., schmutzig, abscheulich (12)
गरीब a., arm (17)
गर्मी s.f., Hitze; Wärme (13)
गाड़ी s.f., Wagen; Auto; Zug (1o)
गाय s.f., Kuh (12)
गिद्ध s.m., Geier (12)
गिनना v.t., zählen (5)

गुच्छा s.m., Strauß, Fruchtstand (12)
गुलाब s.m., Rose (12)
गेंदा s.m., Ringelblume, Totenblume (calendula officinalis) (12)
गेहूँ s.m., Weizen (12)
गोभी s.f., Wirsingart (13)
ग्राहक s.m., Kunde, Käufer (7)
घंटा s.m., Stunde (2)
घर s.m., Haus (9)
घाट s.m., Anlegeplatz, Pier; Gebirgspfad; Name e-s Gebirges (11)
घूमना v.i., umhergehen, spazierengehen (12)
चतुर्थी s.f., der 4. Tag nach Vollmond (17)
गणेश-चतुर्थी ein Fest des Gottes Gaṇeś
चना s.m., Kichererbse (13)
चपाती s.f., Fladenbrot (13)
चमेली s.f., Jasmin (j. grandiflorum) (12)
चरना v.t., grasen, weiden (12)
चलना v.i., (los)gehen (1)
चाय s.f., Tee (13)
चार vier (2)
चावल s.m., Reis (13)

चाहना v.t., wünschen, wollen (5)
मैं चाहता हूँ ich möchte
चाहिए v.d., nötig sein, müssen, brauchen (3)
चिट्ठी s.f., Brief (8)
चीज s.f., Sache, Ding 64)
चील s.f., Falke (falco cheela, Bengal kite); Sammelname f. Tagraubvögel wie Falke, Bussard usw. (12)
चुकना v.i., aufhören; terminatives Modalverb; 'schon' (1o)
चेक s.m., (< engl. 'cheque') Scheck (5)
छिड़कना v.t., ausschütten (17)
छोटा a., klein (4)
छोटा मोटा a., klein(er), z.B. कुछ छोटी मोटी चीजें einige kleinere Sachen; Kleinigkeiten
छोड़ना v.t., loslassen, freigeben; aufgeben (17)
जंगल s.m., Wald
जंगली a., wild (12)
जगमगाना v.i., scheinen,

glänzen, leuchten (17)
जगह s.f., Ort; Platz (1o)
जब c., wenn, als (temporal) (12)
ज़रा a., etwas; (adv.) mal
ज़रूर (5)
ज़रूर a.praed., nötig; sicher, gewiß (4)
ज़रूरत s.f., Notwendigkeit (4)
ज़रूरी a., nötig, notwendig (8)
जर्मनी s.f., (< engl. 'Germany') Deutschland (5)
जलेबी s.f., eine Süßigkeit (13)
जल्दी s.f., Eile, Schnelligkeit; (adv.) schnell (8)
जवान s.m., junger Mensch (17)
जहाँ hier (12)
जहाँ-तहाँ überall
जहाज़ s.m., Schiff (11)
जानकारी s.f., Kenntnis (17)
जानना v.i., wissen (13)
जानबूझना wissen (9)
जानबूझ कर wissentlich, absichtlich
जानवर s.m., Lebewesen; Tier (12)
जाना v.i., gehen, fahren (2)
जितना a.rel., wieviel (13)

जी s.m., Leben; Herr; Partikel der Bestätigung (3)
जो pron.rel., welcher, der (2)
ज़्यादा a., genügend, genug; ziemlich (9)
झोंपड़ी s.f., Hütte (17)

टिकिट s.m., (< engl. 'ticket') Fahrkarte; Eintrittskarte; Briefmarke (6)
टूथ पेस्ट s.m., (< engl. 'tooth-paste') Zahnpasta (7)
टेलीफ़ोन s.m., (< engl. 'telephone') Telefon, Fernsprecher; Ferngespräch, Anruf (8)
टैक्सी s.f., (< engl. 'taxi') Taxi (1)
ट्रैवलर्स चेक s.m., (< engl. 'traveller's cheque') Reisescheck (5)

ठहरना v.i., anhalten, bleiben (3)
ठीक a., richtig (2)

डाइनिंग कार s.f., (< engl. 'dining car') Speise-wagen (1o)
डाक s.m., Post (6)
डालना v.t., werfen; Modal-verb: 'gewaltsam' (13)
डिब्बा s.m., Schachtel; Dose; Eisenbahnwagen; Abteil (1o)
ड्राइवर s.m., (< engl. 'driver') Fahrer (1)

ढंग s.m., Art und Weise (13)
ढेर s.m., Haufen, Menge (12)

तक p., bis (4)
तथा sowie, und (11)
तब c., dann (4)
तबियत s.f., Befinden, Konstitution (12)
तमिलनाटु s.m., Region im SO der Indischen Union: "Land der Tamilen"; Tamilnad (13)
तर a., voll; naß (17)
तरफ़ s.f., Richtung; Seite (7)
तरबूज़ s.m., Wassermelone (12)
तरह s.f., Art, Sorte; Art und Weise (12)
तलना v.t., in Öl oder Ghi backen (13)
तवा s.m., eine runde, eiserne Platte, auf der Fladenbrot gebacken wird (13)
ताज़ा a., frisch, erfrischend, neu (12)
ताज्जुब s.m., Verwunderung (9)
तार s.m., Draht; Telegramm (6)
तारीख़ s.f., Datum (1o)
चौदह तारीख़ am 14.
तालाब s.m., Teich, 'tank' (12)
तुम p.p., ihr; Sie (2)
तेज़ a., scharf, spitz; würzig, scharf; schnell (7)
तेल s.m., Öl (13)
तैयार a., fertig, bereit (13)
तो Partikel temporal: dann (Korrelativ zu जब); adversativ: doch (2)
भी तो ja auch
तोता s.m., Papagei (12)
तोरई s.f., (gurkenähnliche) Kürbisart (luffa acutangula) (13)
त्योहार s.m., Fest (17)

थोड़ा a., wenig (8)

दक्षिण s.m., Süden (11)
दरवाज़ा s.m., Tür (17)
दशहरा s.m., ein Hindufest: Dasera (17)
दस zehn (2)
दस्तख़त s.m., Unterschrift (5)
दाम s.m., Preis (7)
दाल s.f., Indische Straucherbse (cájanus indicus); die daraus bereitete Speise (13)
दावत s.f., Fest; Einladung zum Fest (9)
दिखाई s.f., Erscheinung, Ansicht
दिखाई देना erscheinen, zu Gesicht kommen, vor Augen kommen (12)
दिन s.m., Tag (2)
दिया s.m., Lampe (17)
दिवाली s.f., das Hindu-Lichterfest (17)
दीवार s.m., Wand (17)
दुकान s.f., Laden, Geschäft (4)
दुकानदार s.m., Laden-, Geschäftsinhaber, Kaufmann (7)

दुनिया s.f., Welt (11)
दुर्गा s.f., Göttin der Zerstörung (17)
दुर्गा-पूजा Fest der Göttin Durga (17)
दूध s.m., Milch (13)
दूर a., weit, fern (2)
दूसरा a., zweiter, anderer (7)
दृश्य s.m., Anblick (17)
देखना v.t., sehen (4)
देना v.t., geben; Modalverb: Parasmaipada (3)
देर s.f., Zeitspanne (2)
देवता s.f., Gottheit (17)
देवी s.f., Göttin (17)
देश s.m., Land (11)
दोनों obl.pl. zu दो, beide (4)
दोसा s.m., gedämpfte Reisbällchen, Reisknödel (13)
दोस्त s.m., Freund (4)
दौड़ना v.i., laufen; (schnell) fahren (7)
(के) द्वारा p., mittels, mit (Instrumental) (11)
धर्म s.m., Religion (11)

न nicht; nicht? nicht wahr? (9)

नज़दीक a., nahe (4)
नदी s.f., Fluß (11)
नमकीन a., salzig (13)
नमस्ते ein Hindu-Gruß: ~ Guten Tag; Auf Wiedersehen usw. (4)
नम्बर s.m., (< engl. 'number') Nummer (3)
नया a., neu (5)
नया पैसा kleinste indische Münzeinheit = 1/100 Rupie (5)
नवम्बर s.m., (< engl. 'November') November (17)
नहाना v.i., schwimmen; baden (7)
नहीं nicht; nein (2)
नाम s.m., Name (3)
नाश्ता s.m., Frühstück (3)
निकलना v.i., hinausgehen, herauskommen (7)
नीला a., blau (17)
नेकी s.f., Güte, Gutheit
नेकी और पूछ-पूछ das ist sehr freundlich von Ihnen; mit (dem größten) Vergnügen (9)
नौजवान s.m./a., junger Mensch; jung (17)
पंजाब s.m., Staat im NW der Indischen Union: "Fünfstromland" (13)
पक्षी s.f., Vogel (12)
पच्चीस fünfundzwanzig (3)
पठार s.m., nur in: दक्षिण पठार Hochebene des Dekkan (11)
पड़ना v.i., fallen; Modalverb: müssen (8)
पता s.m., Anzeichen; Anschrift, Adresse (3)
पता नहीं (Ein Zeichen ist nicht da =) keine Ahnung, ich weiß nicht usw. (7)
पत्र s.m., Brief (12)
पर p., auf (1)
पर c., aber (12)
परसों vorgestern; übermorgen (8)
परेशानी s.f., Schwierigkeit (8)
पर्वत s.m., Berg (11)
पर्वत-माला Bergkette, Gebirgszug (11)
पशु s.m., Vieh; Tier (Vierfüßer); Tierwelt (12)
पश्चिम s.m., Westen (11)
पश्चिमी a., westlich (11)
पसन्द s.m., Zuneigung, Freude (7)
पसन्द आना j-m (को) gefallen

पहर s.m., eine Zeiteinheit von ca. 3 Stunden (13)
तीसरे पहर "in der 9. Stunde" = nachmittags
पहला a., erster (9)
पहाड़ s.m., Berg (11)
पहुँचना ⟨poʰčʰcnu⟩ ankommen, hinkommen (terminativ) (4)
पाँच fünf (2)
पाउडर s.m., (< engl. 'powder') Puder, Pulver (17)
पाना v.t., finden (17)
पार s.m., Ende, andere Seite, Überquerung (11)
पालक s.m., Spinatart (Spinasia oleracea) (13)
पालतू a., zahm, gezähmt (12)
(के) पास p., bei (5)
पासपोर्ट s.m., (< engl. 'passport') Reisepaß (5)
पिचकारी s.f., Spritze (17)
पीना v.t., trinken (12)
पीपल s.m., Pipal, Pappelfeigenbaum (ficus religiosa) (12)
पीला a., gelb (17)
पुतना v.i., beschmiert werden/sein (17)
पुराना a., alt (von Sachen) (12)

पूछ s.m., Frage, Nachfrage (9)
पूछना v.t., fragen (j-n = से) (9)
पूजा s.f., Verehrung, Anbetung (17)
पूड़ी s.f., (in schwimmendem Fett gebackenes) 'Brot' (13)
पूरा a., ganz, all (11)
पूर्व s.m., Osten (11)
पूर्वी a., östlich (11)
पेड़ s.m., Baum (12)
पेड़ा s.m., eine Süßigkeit (13)
पैंतीस fünfunddreißig (3)
पैकेट s.m., (< engl. 'packet') Paket, Packung, Päckchen (7)
पैदल zu Fuß (4)
पैसा s.m., Geld; ~ Pfennig
पैसेंजर s.f., (< engl. 'passenger') Personenzug (1o)
पोंगल s.m., südind. Name für Sankrānti (17)
पोर्टर s.m., (< engl. 'porter') Gepäckträger (1)
पोस्ट ऑफ़िस s.m., (< engl. 'post office') Postamt (4)

पौधा s.m., Sproß, junge Pflanze; Strauch (12)
प्रकार s.m., Art und Weise (11)
प्रचार s.m., Brauch, Sitte (13)
प्रत्येक jeder einzelne (17)
प्रदेश s.m., Provinz (13)
प्रसिद्ध a., berühmt (11)
प्राय: meistens, zumeist; im allgemeinen (13)
प्रिय a., lieb (12)
फल s.m., Frucht; Obst (12)
फ़र्स्ट (< engl. 'first', sc. class) 1. Klasse (1o)
फ़सल s.f., rechte Zeit, Ernte (12)
फ़ार्म s.m., (< engl. 'form') Formblatt, Formular (6)
फिर wieder; dann; zurück (2)
फूल s.m., Blume; Blüte (12)
फैलना v.i., sich erstrecken (11)
फ़ोन s.m., (< engl. 'phone') Anruf, Ferngespräch (8)
बंगाल s.m., Staat im NO der Indischen Union: Bengalen (13)
बंदगोभी s.f., Weißkohlart (13)
बच्चा s.m., Kind (17)

बजा part, praet. zu बजना geschlagen = Uhr (2)
बताना v.t., sagen angeben (4)
बदलना v.t., wechseln, umtauschen (4)
बनाना v.t., machen (11)
बन्दर s.m., Affe (12)
बंदर s.m., Hafen (12)
बम्बई Bombay (1o)
बरगद s.m., Banyanbaum; ind. Feigenbum (ficus bengalensis) (12)
बर्थ s.m., (< engl. 'berth') Liegeplatz, Kabinenplatz (1o)
बर्फ़ s.m., Schnee; Eis (12)
बल्ब s.m., (< engl. 'bulb') (Glüh-)Birne (17)
बस s.f., (< engl. 'bus') Autobus (7)
बस्ती s.f., Ortschaft (12)
बहुत a., viel; (adv.) sehr (1)
बहुत-कुछ recht viel (12)
बाग़ s.m., Garten, Park, Hain (12)
बाग़ीचा s.m., Garten; Obstgarten, Plantage (12) auch: बग़ीचा
बात s.f., Angelegenheit,

Wort (6)
बात करना   sich unterhalten (7)
कोई बात नहीं   das macht (doch) nichts (8)
बाथरूम   s.m., (< engl. 'bathroom') Bad, Badezimmer (3)
(के) बाद   p., nach (4)
बाद में   dann, danach
बार   s.m., Mal (13)
बारी   s.f., Mal, Reihe (6)
उस की बारी आती है   er kommt an die Reihe
बाहर   (nach) draußen (6)
बिकना   v.i., verkauft werden, sich verkaufen (7)
बिजली   s.f., Blitz; Elektrizität (17)
बिलकुल   ganz und gar (12)
बीस   zwanzig (3)
बीसी   s.f., (Gruppe von) 20 Stück (13)
बूढ़ा   a., alt (17)
बूढ़ा   s.m., Alter (m.) (17)
बेला   s.m., Jasmin (jasminum zambar) (12)
बैंगन   s.m., Eierfrucht, Aubergine (13)
बैंक   s.m., (< engl. 'bank') Bank (4)

बैठना   v.i., sich setzen (1)
ब्राउन   EN: Braun (8)
ब्वॉय   s.m., (< engl. 'boy') Boy, Hoteldiener (3)
भरना   v.t., füllen, ausfüllen (6)
भात   s.m., (gekochter) Reis (13)
भाभी   s.f., Schwägerin (17)
भाभी-जी   hier: Ihre Gattin
भारत   s.m., Indien (11)
भारी   a., beladen, schwer, groß (12)
भिंडी   s.f. eine Gemüseart: "lady's finger" (13)
भी   auch (3)
भीड़   s.f., Menge, Gedränge (6)
भेजना   v.t., schicken, senden (6)
मैंस   s.f., Büffelkuh (12)
मैंसा   s.m., Büffel
मँगाना   v.t., erbitten, bestellen (10)
मगर   aber (8)
मज़ा   s.m., Geschmack, Vergnügen (8)
मैं खूब मज़े में हूँ   es geht mir gut
मछली   s.f., Fisch (13)

मटर s.m., Erbse (Pisum a-
vens) (13)
मतलब s.m., Bedeutung (1o)
मदद s.f., Hilfe (5)
मनाना v.t., beachten; be-
gehen, feiern (17)
मन्दिर s.m., Tempel (12)
मरा पड़ा a., häufig (12)
मर्ज़ी s.f., Wunsch, Befehl
(3)
मसाला s.m., Gewürz (9)
मसालेदार a., gewürzt, scharf
(13)
मसूर s.m., Linse (13)
महल s.m., Palast (17)
महाराष्ट्र s.m., Staat im W
der Indischen Union (17)
महीना s.m., Monat (17)
मांस s.m., Fleisch (13)
मार्क s.m., Mark, DM (5)
मार्च s.m., (< engl. 'March')
März (17)
माला s.f., Kette; Kranz (11)
मालूम a., bekannt (2)
मिठाई s.f., Süßigkeit (13)
मित्र s.m., Freund (17)
मिर्च s.f., Pfeffer (9)
मिर्च-मसाला Gewürze
मिलना v.i. sich treffen;
bekommen, erhalten (4)
मिलाना v.t., versammeln

मिला कर zusammen (6)
मीठा a., süß (13)
मीनार s.m., Turm, Minarett
चार मीनार ein berühmtes Gebäude in der Altstadt
von Hyderabad, Indien;
eine danach benannte
Zigarettenmarke (7)
मुलाक़ात s.f., Treffen, Be-
such; Unterhaltung, Ge-
spräch (mit = से) (8)
मुसाफ़िर s.m., Reisender (1)
मूँग s.m., ~ grüne Bohne (Phaseolus mungo) (13)
मूर्ति s.f., Standbild (12)
में p., ~ in (2)
मेज़ s.f., (< port. 'mesa')
Tisch (7)
मेरा p.poss., mein (4)
मेला s.m., Messe, Kirmes (17
मेहरबानी s.f., Gefallen,
Gunst, Güte (3)
मेहरबानी करके bitte
आप की मेहरबानी है danke der
Nachfrage (8)
मैं p.p., ich (2)
मैदान s.m., Platz; Ebene (11
मैनेजर s.m., (< engl. 'manager') Manager; Geschäfts-
führer; Empfangschef (3
मैसूर s.m., Staat im S der

Indischen Union: Mysore (13)
मोटर s.f., (< engl. 'motor') Motor; Kraftfahrzeug, Auto (7)
मोटा a., dick; Echowort zu छोटा (4)
मोर s.m., Pfau (12)
मोल s.m., Preis, Kosten (9)
मोल लेना kaufen; sich einbrocken (9)

यह p.dem., dies (1)
यहाँ hier (1)
या oder (11)
यूरोप s.m., (< engl. 'Europe') Europa (6)
यों so (12)
यों भी überhaupt (13)
रंग s.m., Farbe (17)
रंगीन a., bunt; fröhlich (17)
रखना v.t., stellen, setzen, legen (7)
रजिस्टर s.m., (< engl. 'register') Register; Geschäftsbuch (3)
रस s.m., Saft (12)
रहना v.i., bleiben, wohnen (2)
राजधानी s.f., Hauptstadt (11)

रात s.f., Nacht (17)
राम s.m., EN (17)
रामलाल s.m., EN (8)
रास्ता s.m., Weg (8)
रिज़र्व s.m., (< engl. 'reserve') Reservierung
रिज़र्व होना reserviert sein (10)
रुपया s.m., Rupie (1)
रेल s.f., (< engl. 'rail') Eisenbahn (11)
रेस्तराँ s.m., (< frz.) Restaurant (8)
रोज़ s.m., Tag; obl.: täglich (13)
राजस्थान s.m., Staat im NW der Indischen Union ("Königsland") (13)
रोटी s.f., Brot (13)
रोड s.m., (< engl. 'road') Straße (2)
रोशनी s.f., Licht (17)
लंबा a., lang (6)
लगना v.i., angeheftet werden; Modalverb
देर लगना lange dauern (2)
अच्छा लगना (j-m को) gefallen (13)
लगभग a., ungefähr, etwa (11)
लगाना v.t., anwenden, ankleben (17)

लटकना	v.i. herabhängen (12)	वर्ष	s.m., Jahr (17)
लड्डू	s.m., eine Süßigkeit in Form kleiner Bällchen (13)	वर्षी	a., Jahres-, jährlich
		वसन्त	s.m., Frühling (17)
		वह	p.dem., jener; ~ best. Artikel (2)
लता	s.f., Kletterpflanze, Ranke (12)		
		वहाँ	dort, dorthin (1o)
लम्बाई	s.f., Länge (11)	वही	(< vah + hī) eben derselbe (2)
लस्सी	s.f., ein Getränk aus Sauermilch mit Wasser- und Zucker- oder Salzzusatz (13)		
		वापस	zurück; wieder (4)
		वाला	Suffix zur Bildung von Nomina agentis und zur Adjektivierung von Substantiven; bei Verben ~ im Begriff sein zu (2)
लहलहाना	v.i., grünen (12)		
लाइन	s.f., (< engl. 'line') Linie; (Menschen-)Schlange (6)		
लाख	s.m., 100 000 (17)	शरबत	s.m., Syrup; Fruchtwassergetränk (13)
लाना	v.i. (!) (< le ānā) herbringen (5)		
		शहर	s.m., Stadt (2)
लाल	a., rot	शाक	s.m., Gemüse (außer 'dāl') (13)
लाल	s.m., ~ Herr; EN oder Teil eines EN (8)		
		शाकाहारी	s.m./a., Vegetarier; vegetarisch (13)
(के) लिए	p., für (6)		
लेकिन	aber (7)	शाम	s.f., Abend (2)
लेना	v.t., (weg)bringen, nehmen, tragen (1)	शायद	vielleicht (2)
		शुक्रिया	danke! (4)
लोग	s.m., pl., Leute (6)	शुरू	s.m., Anfang, Beginn (11)
लौकी	s.f., Kürbisart (13)	संक्रान्ति	s.f., Eintritt der Sonne in ein neues Sternbild; ein Hindufest (17)
लौटना	v.i., zurückkehren (12)		
		संदेसा	s.m., Nachricht, Botschaft (8)
वगैरा	und so weiter (3)		

संबन्ध s.m., Verbindung, Beziehung (17)
संस्कृति s.f., Kultur (11)
सकना v.i., können (4)
सच a., wahr (8)
सचमुच wirklich, wahrlich (17)
सजाना v.t., schmücken (17)
सड़क s.f., Straße (7)
सन् s.m., Jahr (11)
सन्तरा s.m., Apfelsinenart (citrus-aurantium-Art) (12)
सफ़र s.m., Reise (8)
सफ़ेद a., weiß (12)
सब कुछ a., alles (emphatisch) (12)
सभी (< sab + hī) a., alles (emphatisch) (12)
समझना v.t., verstehen; glauben, meinen; denken; kennen (9)
समय s.m., Zeit (11)
समाप्ति s.f., Ende (17)
समुद्र s.m., Meer, Ozean (11)
समोसा s.m., gefüllte Pastete (13)
सम्बन्धी s.m., Verwandter (17)
सर्दी s.f., Kälte; Winter (17)
सलाम s.m., ~ Guten Tag usw.; Dankeschön (1)
सवेरा s.m., Morgen (8)
सस्ता a., billig (7)
साइकिल (< engl. 'cycle') Fahrrad (7)
(के) साथ p., mit (3)
सानन्द a., glücklich (12)
साबुन s.m., Seife (7)
सामान s.m., Gepäck; Waren, Einkäufe (1)
सारस s.m., (indischer) Kranich (12)
साहब s.m., Herr (1)
सिगरेट s.f., (< engl. 'cigarette') Zigarette (4)
सिर्फ़ nur (7)
सिलसिला s.m., Linie, Kette (11)
(के) सिवाय p., außer, mit Ausnahme von (12)
सीट s.f., (< engl. 'seat') Sitz, (Sitz-)Platz (1o)
सीता s.f., EN (17)
सीमा s.f., Grenze (11)
सुनना v.t., hören (1o)
सुन्दर a., schön (12)
सूटकेस s.m., (< engl. 'suitcase') Koffer (1)
से p., von - weg; mit; zu (1)
सेकंड s.m., (< engl. 'second') Sekunde
सेकंड a., (sc. 'klās') 2. Klas-

se (1o)
सेकना v.t., erhitzen; backen; rösten (13)
सैर s.f., Besichtigung (2)
सोना v.i., schlafen (1o)
सोना s.m., Gold (1o)
स्टेशन s.m., (< engl. 'station') Bahnhof (1o)
स्वस्थ a., gesund (12)
स्वागत s.m., Empfang, Willkommen (17)
स्वाद s.m., Geschmack (13)

हटना v.i., zurückweichen, zurücktreten (11)
हमाम s.m., Seife; eine Seifenmarke (7)
हरा a., grün (12)
हरा-भरा grün (emphatisch), frisch und grün, grünend und blühend (12)
हवाई a., Luft- (6)
हवाई जहाज़ Flugzeug
हवाई डाक Luftpost
हाँ Partikel der Zustimmung: das ist richtig (1)
हाथ s.m., Hand (17)
हाथी s.m., Elefant (12)
हिन्दी a., Hindi (6)
हिन्दुस्तान s.m., Indien (6)
हिन्दुस्तानी a., indisch (7)

हिन्दू s.m., Hindu (11)
हिस्सा s.m., Teil
ही Partikel der Emphase (2)
हुआ part.praet. zu होना = sein: gewesen (1)
है 3.P.Sg.Ind. zu होना : er, sie, es ist (1)
हो जाना v.i., werden (6)
होटल s.m., (< engl. 'hotel') Hotel; Restaurant, Speisehaus (2)
होली s.f., ein Hindu-Frühlingsfest (17)

Anmerkung: Im Wörterverzeichnis ist statt (17) jeweils (14) zu lesen!

VERZEICHNIS DER ABKÜRZUNGEN

a.	Adjektiv
adj.	"
adv.	Adverb
c.	Konjunktion
conj.	"
EN	Eigenname
engl.	englisch
f.	femininum
frz.	französisch
Gen.	Genitiv
i.	Interjektion
m.	masculinum
Obl.	Obliquus
p.	Postposition
part.praet.	Participium praeteriti
p.dem.	Demonstrativpronomen
Pl.	Plural
port.	portugiesisch
postp.	Postposition
p.p.	Personalpronomen
p.poss.	Possessivpronomen
praed.	prädikativ
pron.	Pronomen
refl.	Reflexiv
rel.	Relativ
s.	Substantiv
Sg.	Singular
subst.	Substantiv
v.d.	verbum defectivum
v.i.	verbum intransitivum
v.t.	verbum transitivum
<	kommt von
~	entspricht ungefähr

DEUTSCHE AUSGABEN

Harder–Paret:	**Kleine arabische Sprachlehre** 10. Auflage 1964, VIII/176 Seiten, Hl.	DM 7,80
	Schlüssel dazu, 22 Seiten, brosch.	DM 2,20
Sharma–Vermeer:	**Einführung in die Hindi-Grammatik** 1. Auflage 1963, VI/96 Seiten, brosch.	DM 7,60
Vermeer–Sharma:	**Hindi-Lautlehre mit Einführung in die Devnagarischrift** 1. Auflage 1966, XII/104 Seiten, brosch.	DM 12,80
Vermeer–Sharma:	**Hindi-Lesebuch** 1. Auflage 1966, VI/90 Seiten, brosch.	DM 8,80
Hilgers-Hesse:	**Indonesischer Sprachführer** 2. Auflage 1964, 160 Seiten, brosch.	DM 9,50
Hilgers-Hesse:	**Die Entwicklungsgeschichte der Bahasa Indonesia** 1. Auflage 1965, 116 Seiten, brosch.	DM 24,50
Eckardt:	**Grammatik der koreanischen Sprache** Studienausgabe, 2. Auflage 1965, XIV/202 Seiten, Plastik	DM 28,–
Eckardt:	**Übungsbuch der koreanischen Sprache** Studienausgabe, 1. Auflage 1964, 200 Seiten, Plastik	DM 25,–
Eckardt:	**Studien zur koreanischen Sprache** Studienausgabe, 1. Auflage 1965, 226 Seiten, Plastik	DM 25,–
Vermeer–Jesiah:	**Tamil-Lautlehre**	in Vorbereitung
Jesiah–Vermeer:	**Tamil-Lesebuch**	in Vorbereitung
Rühl:	**Türkische Sprachlehre** 5. Auflage 1964, 242 Seiten, Hl.	DM 14,80
Vermeer–Akhtar:	**Urdu-Lautlehre und -Schrift** 1. Auflage 1966, IV/166 Seiten, brosch.	DM 16,80
Vermeer–Akhtar:	**Urdu-Lesebuch**	in Vorbereitung

ENGLISCHE AUSGABEN

Haywood—Nahmad: **A New Arabic Grammar**
1. Auflage 1962, X/688 Seiten, Gl.   DM 28,—

Key zur 1. Auflage, 160 Seiten, brosch.   DM 5,60

Rabin—Nahmad: **Arabic Reader**
VIII/176 Seiten, brosch.   DM 8,50

Arayathinal: **Aramaic Grammar, Teil I**
457 Seiten, Hl.

Key zu Teil I, 82 Seiten, brosch.   zus. DM 18,60

Arayathinal: **Aramaic Grammar, Teil II**
423 Seiten, Hl.

Key zu Teil II, 76 Seiten, brosch.   zus. DM 16,80

St. Clair Tisdall: **Hindustani Conversation Grammar** with key
VIII/372 Seiten, key 88 Seiten, Hl.   DM 25,—

Reichard—Küsters: **Elementary Kiswaheli Grammar**
1. Auflage 1926, VIII/350 Seiten, brosch.   DM 12,50

Key zur 1. Auflage, 64 Seiten, brosch.   DM 2,50

St. Clair Tisdall: **Modern Persian Grammar** with key
VIII/318 Seiten, key 78 Seiten, Gl.   DM 34,—